D0833802

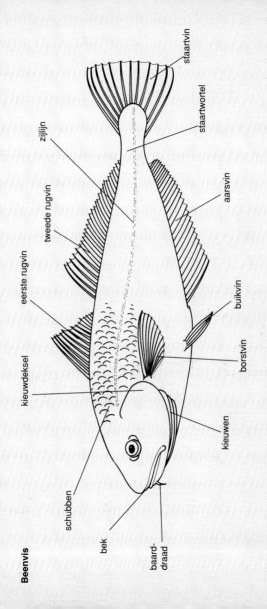

Beenvis

staartvin

staartwortel

zijlijn

aarsvin

tweede rugvin

eerste rugvin

buikvin

borstvin

kieuwdeksel

kieuwen

schubben

bek

baard-
draad

ZEE- &
KUSTLEVEN

ELMAR

WAARSCHUWING

De zee is mooi en blijft altijd boeien, maar kan ook gevaarlijk zijn en moet altijd met respect worden behandeld. Als u bij laagwater op onderzoek uitgaat, let er dan op dat de opkomende vloed de terugweg naar het vasteland niet afsnijdt. Pas ook op voor grote golven die u van glibberige rotsen kunnen slaan. Ga niet over de modder bij waddenkusten, estuaria of zoutmoerassen lopen; de modder kan zacht en diep zijn en u kunt er in vast komen te zitten. Houd kleine kinderen in de buurt van water goed in de gaten.

Als u een steen langs de kust omdraait, leg hem dan weer terug zoals u hem vond. Dieren die op de onderkant van de steen leven zullen anders sterven.

Colofon

Snel-zoek© natuurgids 'Zee- & Kustleven' is een uitgave van
Uitgeverij Elmar B.V., Rijswijk – 1998
Eerste uitgave in 1994 door Charles Letts & Co Ltd, Londen
Auteurs: Pamela Forey en Cecilia Fitzsimons
© Tekst en illustraties: Malcolm Saunders Publishing Ltd – 1994
© Nederlandse editie: Uitgeverij Elmar B.V., Rijswijk – 1998
Vertaling: Studio Imago, Amersfoort
Vormgeving omslag: Studio Raster B.V.

ISBN: 90 389 0722 2

INHOUD

Inleiding

De zeeën en oceanen van onze planeet zijn de woonplaats van een aantal van de fascinerendste schepselen die deze aarde bevolken. Dit boek is bedoeld als introductie tot het rijke onderwaterleven in de zeeën rond Europa en tot het leven op de kusten langs die zeeën. We kunnen bij lange na niet alle soorten opnemen in een boek van deze omvang, en daarom hebben we speciaal naar zeevissen en andere opvallende zeedieren gekeken. Met dit boek hopen we u in staat te stellen om vissen en andere zeebeesten te determineren die u langs het strand, in een aquarium of zelfs in de viswinkel kunt tegenkomen. Bovendien willen we u een idee geven hoe en waar ze leven. Zeevogels en zeezoogdieren worden in andere boeken uit deze serie beschreven (**Vogels** en **Zoogdieren**), we hebben er daarom van afgezien ze ook in dit deeltje te beschrijven waardoor er meer ruimte overbleef voor andere schepselen die in andere boeken niet zijn opgenomen. In **Schelpen** (een ander deel uit deze serie) is een veel uitgebreidere beschrijving van de schelpen van weekdieren gegeven.

Hoe dit boek te gebruiken

We hebben verscheidene groepen dieren en één groep planten in dit boek opgenomen, dat in acht secties is verdeeld om die verscheidenheid te weerspiegelen. De secties zijn: **Vissen; Stekelhuidigen; Kreeftachtigen; Weekdieren; Gelede wormen; Holtedieren; Andere dieren** en **Zeewieren**. Iedere sectie heeft een eigen kleur gekregen in de vorm van een strook bovenaan de pagina (zie de inhoudsopgave). Om het dier of de plant die u heeft gevonden te determineren, moet u eerst de informatie in de Handleiding voor Determinatie doorlezen, dan kunt u naar de relevante pagina gaan.

 VISSEN zijn waarschijnlijk de bekendste zeedieren en hoeven eigenlijk nauwelijks beschreven te worden. De meeste vissen bezitten de klassieke gestroomlijnde vorm; de soorten die dat niet hebben (zoals zeepaardjes en palingen), bezitten wel andere kenmerken die typerend zijn voor vissen: vinnen op rug en buik, borst- en buikvinnen in paren en een verticale staartvin. Ze ademen door hun kieuwen.
De vissen kunnen in twee grote groepen worden verdeeld. De eerste groep wordt gevormd door de **haaien** en **roggen** (pagina 16-25); hoewel haaien en

roggen erg verschillend lijken, zijn ze in werkelijkheid veel nauwer aan elkaar verwant dan aan andere vissen. Ze hebben heel wat kenmerken gemeen, bijvoorbeeld: de kieuwen ontvangen water door een serie kieuwspleten achter de kop; de bek zit aan de onderzijde van de kop; het lichaam is bedekt met een dikke huid waarin dikke, tandachtige schubben zijn ingebed; en een skelet dat uit kraakbeen bestaat. Haaien bezitten de typisch gestroomlijnde vorm die vele vissen van een open zee kenmerkt. Roggen zijn van kop tot staart afgeplat om verborgen op de zeebodem te kunnen liggen.

De tweede groep wordt gevormd door de **beenvissen** (pagina 26-70), die zo genoemd worden omdat hun skelet uit been bestaat. Bij deze vissen zijn de kieuwen bedekt door een kieuwdeksel achter de kop; de bek bevindt zich aan of bij de voorkant van de kop; het lichaam is meestal bedekt met relatief kwetsbare, losse schubben. Er bestaat een enorme verscheidenheid aan vormen; van de vissen van de open oceaan met de klassieke visvorm als die van de tonijn of de kabeljauw, tot de platvissen, die op de bodem leven, en de vreemde vormen van zeepaardjes en alen. (Platvissen liggen eigenlijk op hun zij, de bovenkant lijkt daardoor de rug te zijn.)

Lampreien en **slijmprikken** (pagina 71) zijn palingachtige dieren die op vissen (vooral op palingen) lijken, maar dat eigenlijk helemaal niet zijn. Ze hebben geen kaken, geen gepaarde borst- en buikvinnen en geen schubben. We hebben ze voor het gemak toch bij de vissen opgenomen.

 STEKELHUIDIGEN (pagina 72-75) komen alleen in zee voor en dus niet op het land of in zoet water. Ze zijn in veel opzichten uniek. Om te beginnen zijn ze in het algemeen radiair symmetrisch, vaak vijfstralig (de meeste dieren hebben maar één symmetrie-as) en hebben ze een mond in het midden van een van de zijden en een anus in het midden van de andere zijde. Ze bezitten een uniek hydraulisch systeem om te kunnen lopen en zich te voeden, het meest in het oog lopende deel daarvan zijn de radiaal verlopende rijen buisvoetjes. Ze bezitten een skelet van in elkaar grijpende plaatjes, die vaak bezet zijn met stekels en doorns.

Tot de stekelhuidigen behoren de zee-egels, zeesterren, slangsterren en zeekomkommers. Zeekomkommers verschillen nogal van de andere en kunnen het beste worden vergeleken met een uitgerekte, stekelloze zee-egel die op zijn kant ligt.

 KREEFTACHTIGEN (pagina 76-85) zijn geleedpotigen. Het lichaam is bedekt met een hard (relatief) flexibel exoskelet en bestaat uit vele segmenten. Sommige kreeftachtigen hebben een lichaam dat uit vele gelijksoortige segmenten bestaat, andere hebben een lichaam met drie duidelijk onderscheidbare delen: hoofd, borststuk en achterlichaam. Alle hebben samengestelde poten. Tot de kreeftachtigen behoren bekende dieren als krabben, kreeften en garnalen, maar ook minder bekende dieren als de strandvlooien. Ook zeepokken behoren tot de kreeftachtigen, ook al lijken ze op het eerste gezicht meer op zeeslakken, maar onder water komen ze te voorschijn en tonen hun gelede poten.

WEEKDIEREN vormen een grote groep dieren waartoe (onder andere) slakken, alikruiken, naaktslakken, kokkels, mossels, keverslakken en inktvissen behoren.

Slakken (pagina 87-92) worden verdeeld in slakken en naaktslakken. Slakken hebben een zacht, ongeleed lichaam en een kalkachtig huis dat opgerold is in de bekende vorm zoals we die van de huisjesslakken kennen. Het huis van de zeeslakken is variabeler van vorm; sommige, zoals de schaalhoorn, hebben een eenvoudig, kegelvormig huis, terwijl bij andere, zoals de Europese kaurie, de windingen in de schelp verborgen zitten. Als de dieren uit hun schelp te voorschijn komen, tonen ze dezelfde loopvoet en kop met sprieten die hun familie op het land kenmerkt (zie ook kokerwormen pagina 105; sommige van deze wormen hebben kokers die op het huisje van een slak lijken; zeepokken, pagina 85, lijken op schaalhoorns).
Zeenaaktslakken (pagina 92) zijn veel fraaier dan de naaktslakken van het land, ze zijn vaak fel gekleurd en hebben kieuwen en tentakels op de rug; maar ze zijn in wezen niet anders dan hun familie op het droge.

Keverslakken (pagina 86) zijn ook weekdieren en lijken oppervlakkig gezien op schaalhoorns. Het zijn echter geen slakken. Ze zijn makkelijk herkenbaar aan een reeks duidelijk gescheiden kalkplaten die hun rug bedekt.

Tweekleppigen (pagina 93-99) zijn op het eerste gezicht heel anders dan andere weekdieren; in hun bouw delen ze echter veel biologische kenmerken met slakken en andere groepen. De meeste tweekleppigen zijn makkelijk te herkennen aan hun schelp, die uit twee min of meer gelijke kleppen bestaat. Tot deze groep behoren mossels, sint-jakobsschelpen, zwaardschedes en vele andere soorten. Ook eendenmossels (pagina 99) behoren tot deze groep (ook al lijken ze op het eerste gezicht meer op een worm; hun sterk gereduceerde tweekleppige schelp is zichtbaar aan het einde van het lichaam).

Inktvissen, zeekatten en octopussen (pagina 100-102) zijn ook weekdieren. Ze bezitten geen zichtbare schelp en hebben een torpedovormig of zakvormig lichaam met grote ogen en een voet die in acht tentakels is verdeeld (inktvissen en zeekatten hebben ook nog twee armen). De schelp (indien aanwezig) bevindt zich in het lichaam.

GELEDE WORMEN (pagina 103-107) hebben lange, wormachtige lichamen die in een groot aantal gelijke, min of meer borstelige segmenten zijn verdeeld. Sommige soorten (zoals de zeeduizendpoten) hebben een duidelijke kop, vaak met tentakels; ze kruipen rond over kusten en tussen stenen. Kokerwormen leven in kokers; ze hebben vaak een krans van tentakels op hun kop; dat is het deel dat we zien als de worm uit zijn koker komt. Gravende wormen graven een hol in zand of modder; veel soorten hebben eveneens tentakels op hun kop, terwijl andere soorten, zoals de zeepier, op regenwormen lijken met hun simpele, gelede lichamen. (Zie ook eendenmossels, pagina 99, en zeekomkommers, pagina 75.)

HOLTEDIEREN (pagina 108-112) is de biologische naam voor de groep waartoe de zeeanemonen, koralen en kwallen behoren. Het zijn in het algemeen bloemachtige dieren met een zacht lichaam als een zak met een mond aan de ene zijde (vaak met een of meerdere kransen tentakels eromheen). Ze leven vaak in kolonies, die er op het eerste gezicht als één enkel dier uitzien; maar in feite bestaat elke kolonie uit een groot aantal individuele dieren (poliepen genaamd) die bij elkaar leven.

Zeeanemonen hebben een zacht, cilindervormig lichaam met een krans van tentakels. Kwallen hebben een zacht lichaam in de vorm van een paraplu, waaronder tentakels hangen; ze drijven in de zee (zoals het Portugees oorlogsschip, die tot de kwallen behoort en eigenlijk op geen enkel ander dier lijkt). Koralen komen niet op grote schaal voor in Europese wateren, maar zachte koralen wel. Beide zijn in kolonies levende holtedieren die een skelet met vele gaten bouwen, de zachte, op bloemen gelijkende poliepen leven in de gaten. Koralen vormen harde skeletten, zachte koralen flexibele (zie ook sponzen, pagina 115; en zakpijpen op pagina 113).

In de laatste sectie over dieren zijn drie niet-verwante groepen bijeen gebracht: **SPONZEN, ZAKPIJPEN** en **LIESCELPOLIEPEN.** Het zijn simpele dieren die makkelijk voor een plant kunnen worden aangezien omdat ze zich niet verplaatsen. Soms lijken ze zelfs helemaal niet op levende wezens. Sponzen en zakpijpen kunnen eenvoudige, zakvormige dieren zijn. Sponzen hebben één opening aan de bovenkant, zakpijpen hebben twee sifonachtige openingen vlak bij de bovenkant; ze kunnen echter ook een soort korst op rotsen of zeewier vormen. Vliescelpoliepen vormen altijd kortstvormige structuren op rotsen of zeewieren; ze hebben een opvallende, in compartimenten verdeelde structuur. Voor meer informatie over deze groepen verwijzen we naar de relevante pagina's: sponzen, pagina 115; vliescelpoliepen pagina 114; zakpijpen pagina 113. (Zie ook zachte koralen, pagina 112; rode zeewieren, pagina 121.)

ZEEWIEREN zijn de enige planten die in dit boek worden behandeld. Het zijn meestal eenvoudige, varenachtige planten die uit een enkel of vertakt blad bestaan dat aan een rots vastzit met een hechtorgaan. De drie groepen zeewieren die hier behandeld worden zijn groenwieren, bruinwieren en roodwieren.

Groenwieren (pagina 116) zijn meestal heldergroen gekleurd; we vinden ze vaak op plaatsen waar zoet water in zee stroomt.

Bruinwieren (pagina 117-119) zijn meestal bruin gekleurd; we zien ze vaak op de kust liggen. Zee-eiken bedekken de rotsen van het midden-eulitoraal, vingerwieren groeien in het laag-eulitoraal. Ze zorgen voor de duidelijk gescheiden zones die we langs veel Atlantische kusten kunnen waarnemen.

Roodwieren (pagina 120-121) zijn meestal rood of roodbruin; ze zijn gevoeliger voor licht dan de twee andere groepen en groeien daarom verder van de kust, in schaduwrijke poelen of onder andere zeewieren, en in dieper water. Sommige roodwieren verkalken en vormen kristallijne randen in rotspoelen of platte korsten op rotsen.

Wat staat er op een pagina

Als u heeft vastgesteld tot welke groep de soort hoort die u heeft gevonden, gaat u naar de bladzijden waar soorten uit die groep worden beschreven en geïllustreerd. Vergelijk de informatie op die bladzijden met uw vondst om de soort te determineren.

In het deel over vissen vindt u een vis per pagina (misschien met nog een afbeelding van een verwante soort die in het vierde kader wordt beschreven). In de andere secties is een pagina vaak gewijd aan een groep dieren in plaats van aan een enkele soort. Zo hebben we bijvoorbeeld een pagina gewijd aan zeesterren; door deze opzet kunt u in de beperkte ruimte van dit boek toch enigszins een indruk krijgen van de veelvormigheid van zeesterren in de Europese wateren.

Op iedere pagina staat de Nederlandse en de Latijnse naam van de soort of de groep bovenaan. Hier is ook de lengte van het dier weergegeven. Vier kaders verschaffen informatie over de soort of groep die behandeld wordt. Het eerste kader geeft details over kenmerken, of een combinatie van kenmerken, die helpen om samen met de illustratie het dier te determineren. Het tweede en derde kader geven informatie over biotoop en biologie; in wat voor soort omgeving komen ze voor, wat eten ze. Als een soort knijpt, bijt of steekt, is dat aangegeven met een waarschuwingssymbool. (N.B. Sommige dieren die bijten of steken kunnen behoorlijk gevaarlijk zijn, let daarom goed op.)

Waarschuwingssymbool

 Dit dier kan knijpen, bijten of steken.

Het derde kader geeft informatie over de verspreiding van de soort of groep. Hier staat ook of een soort commercieel van belang is. Het vierde kader verschaft informatie over de soorten van een groep, als het om een groepspagina gaat; of over verwante of vergelijkbare soorten. Op sommige pagina's zijn de verwante soorten ook geïllustreerd.

Door het hele boek vindt u ook pagina's over andere gewone soorten. Deze bladzijden geven aanvullende informatie over minder algemene of minder wijdverspreide soorten die niettemin toch van belang zijn.

Voorbeeldpagina

Gekleurde band, geeft aan om welke groep het gaat

Latijnse naam

Naam van het dier

Symbool van de groep

Lengte

Waarschuwingssymbool

Gekleurde illustratie

♂ Mannetje

♀ Vrouwtje

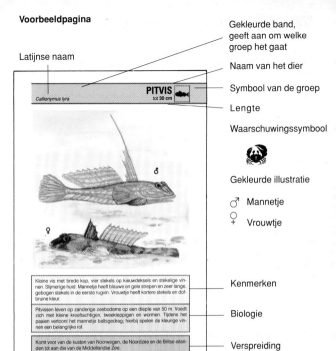

PITVIS
Callionymus lyra
tot 30 cm

♂

♀

Kleine vis met brede kop, vier stekels op kieuwdeksels en stekelige vinnen. Slijmerige huid. Mannetje heeft blauwe en gele strepen en zeer lange,
gebogen stekels in de eerste rugvin. Vrouwtje heeft kortere stekels en dofbruine kleur.

Kenmerken

Pitvissen leven op zanderige zeebodems op een diepte van 50 m. Voedt
zich met kleine kreeftachtigen, tweekleppigen en wormen. Tijdens het
paaien vertoont het mannetje baltsgedrag; hierbij spelen de kleurige vinnen een belangrijke rol.

Biologie

Komt voor van de kusten van Noorwegen, de Noordzee en de Britse eilanden tot aan die van de Middellandse Zee.

Verspreiding

De twee andere soorten pitvissen in Europa zijn kleiner en minder algemeen. De gevlekte pitvis wordt maximaal 14 cm lang; beide geslachten
zijn bruin met blauwe en donkerbruine vlekken in plaats van strepen.
Zwemt diepe, 20-3.. m, vooral bij zand.

Verwante of
vergelijkbare soorten

Waar leven zeedieren en zeewieren?

Zeedieren en zeewieren zijn (net als hun verwanten op het droge) vaak erg kieskeurig in de keuze van hun biotoop. Sommige dieren leven in ondiepe kustwateren, andere op open zee; sommige zwemmen in de bovenste waterlagen, andere leven op de zeebodem; sommige kruipen in de modder, andere hechten zich aan een rots vast of kruipen tussen het zeewier door. Langs de kusten heb je soorten die een waddenkust willen, terwijl andere de voorkeur geven aan rotskusten, weer andere wonen op zandstranden en daar heb je weer soorten die langs de hoogwaterlijn leven, langs de laagwaterlijn of juist daartussenin. De informatie in het tweede en derde kader helpt u om op de juiste plekken te zoeken en de soorten juist te determineren.

Veel soorten die in dit boek staan, leven in diep water zodat u er niet makkelijk bij kunt. Het zal dan niet meevallen ze in het wild te zien. Veel van de vissoorten kunnen echter met een hengel worden gevangen. Soorten waar commercieel op gevist wordt, kunt u vaak bij de visboer zien liggen. Veel badplaatsen en vissersdorpen hebben bovendien een zeeaquarium.

De beste plaatsen om zeedieren en zeewieren in het wild te zien, zijn kusten, vooral die van de Noordzee en de Atlantische Oceaan. De mediterrane kusten zijn minder rijk aan soorten omdat deze zee nauwelijks getijden kent.

De invloed van de getijden

De getijdenwisseling komt ongeveer twee keer per dag voor. Dat betekent dat het elke 24 uur tweemaal laagwater en tweemaal hoogwater is, waarbij elk hoog- of laagwater ongeveer een uur later optreed dan dat van de dag ervoor. Springtij is het laagste laagwater en het hoogste hoogwater; het komt om de twee weken voor, rond volle maan en nieuwe maan. Bij doodtij is het verschil tussen laag- en hoogwater juist minimaal, het komt om de veertien dagen voor, precies tussen twee perioden van springtij in. Door de getijden kunnen we een aantal zones langs de kust onderscheiden (zie illustratie). Die zones zijn:

Spatzone. Zone boven het hoogste punt van de springvloed. Deze zone wordt bij springtij nat gespat.

Hoog-eulitoraal. De zone boven het gemiddelde hoogwater. Deze zone is meestal droog, maar loopt onder water tijdens hoogwater rond springtij.

Midden eulitoraal. De brede zone tussen het gemiddelde hoogwater en het gemiddelde laagwater; deze zone loopt vrijwel elke dag tweemaal onder water en valt dus ook tweemaal per dag droog.

Laag-eulitoraal. De smalle zone tussen de gemiddelde laagwaterlijn en het laagwater tijdens springtij. Deze zone valt alleen droog tijdens het laagwater rond springtij.

Sublitoraal. Ondiep water onder het laagwater van het springtij. Deze zone valt nooit droog, maar de schommelingen in temperatuur en zoutgehalte zijn groter dan in de open zee.

Getijdeniveaus en -zones

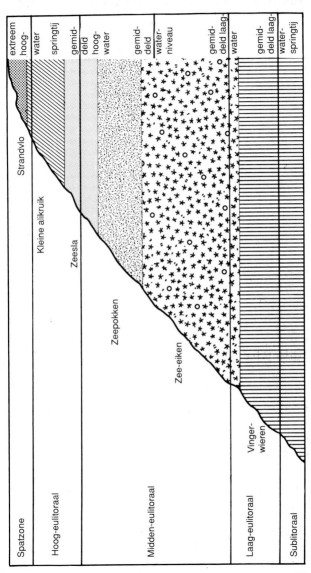

REUZENHAAI

meer dan **11 m; 3000 kg**

Cetorhinus maximus

Een enorme haai met een slappe rugvin. Zeer lange kieuwspleten rond de 'nek' vanaf de rug tot aan de keel. De tanden zijn zeer klein. De kleur varieert van grijsbruin tot bijna zwart, lichter naar de buik toe.

Ondanks zijn enorme afmetingen is het een onschuldig dier. Hij zwemt langzaam met open bek waarbij de stijve, borstelige kammen aan de binnenzijde van de kieuwspleten als filter werken om plankton te vangen. Het is een levendbarende haai.

Een haai van de oceanen, komt voor in de Atlantische Oceaan en de Middellandse Zee, kan in de zomer langs de kusten worden gezien. In open water zwemmen ze in scholen, langs de kust alleen.

Volgroeide exemplaren zijn nergens mee te verwarren. De lange kieuwspleten onderscheiden jonge dieren van andere haaien. Volgroeide exemplaren zijn van walvissen te onderscheiden door de kieuwspleten en de verticale staartvin.

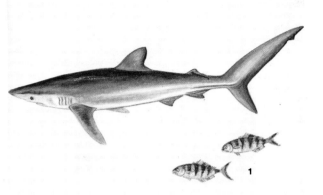

1

Een grote haai, diep indigoblauw op de rug, wit op de buik. Lange, puntige snuit, opvallend lange, gebogen borstvinnen en een gebogen bovendeel van de staartvin. Een van de weinige gevaarlijke haaien in de Europese wateren.

Blauwe haaien worden vaak vergezeld door **loodsmannetjes** (**1**). Ze jagen op pelagische vis als haring, wijting en makreel; ze kunnen in netten van vissers verstrikt raken op jacht naar deze soorten. De blauwe haai is levendbarend.

Zwemt gewoonlijk in open water in de Atlantische Oceaan en de Middellandse Zee; migreert 's zomers naar ondieper water van bijvoorbeeld het Kanaal, maar komt niet tot vlak bij de kust. Gehaat bij beroepsvissers, maar populair bij sportvissers.

De voshaai is ook een grote haai (tot 6 m lang). Herkenbaar aan zijn zeer lange staart (net zo lang als het lichaam). Hij leeft in de open oceaan en komt 's zomers dichter bij de kust, waar hij scholen haring en andere vis met zijn staart 'bijeenveegt'.

Grote, forse haai met ronde snuit en kiel aan weerszijden van de staart. Twee rugvinnen, de eerste veel groter dan de tweede. Grote, driehoekige tanden met extra punt aan weerszijden van de basis. Donkerblauw tot blauwgrijs van boven, crème van onderen.

Neushaaien zwemmen meestal bij het wateroppervlak, waar ze jagen op in scholen zwemmende vis als haring, makreel, kabeljauw enzovoort. De neushaai is levendbarend.

Komt het hele jaar door voor in de Atlantische Oceaan en de Middellandse Zee; volwassen dieren komen 's zomers tot 16 km voor de kust, jonge dieren zo dicht dat ze vanaf de oever gevangen kunnen worden. Populair bij sportvissers.

De verwante mako leeft in het warme deel van de Atlantische Oceaan, maar trekt 's zomers noordwaarts tot de Britse kust. Hij is gestroomlijnder en de snuit is spitser; de eerste rugvin ontspringt achter de borstvinnen; geen punten bij de tanden.

Een kleine, slanke, nogal trage haai met een relatief gladde huid. De twee rugvinnen zijn ongeveer even groot. Rug dofgrijs, overlopend naar crème of lichtgrijs op de buik; kleine stervormige, witte vlekken op rug en flanken.

Deze haai zwemt in groepen bij de zeebodem. Hij heeft vlakke, plaatvormige tanden waarmee hij zijn voedsel als een molen maalt. Hij eet vooral krabben en kreeften. Deze soort is levendbarend.

Komt voor in de Noordzee en de Atlantische Oceaan tot aan de Middellandse Zee. Meestal op het continentale plat tot een diepte van 160 m; migreert 's zomers naar ondieper kustwater. Wordt vaak vanaf de kust gevangen door sportvissers.

De gladde haai lijkt veel op deze soort, maar mist de witte vlekken; hij heeft wel dezelfde gewoonten en verspreiding. Hij is echter veel minder algemeen.

Een kleine, slanke haai met een kleine, giftige stekel voor de rugvin, die een pijnlijke wond kan veroorzaken. Geen aarsvin. Alle vijf de kieuwspleten liggen voor de borstvinnen. Donkergrijs met ronde, witte vlekken op rug en flanken.

Zwemt in grote, trekkende scholen in alle niveaus (het zijn actieve zwemmers) in kustwateren en open zee tot een diepte van 1000 m. Voedt zich met een grote variëteit aan prooi: allerlei vis, inktvis, octopus, wormen, krabben enzovoort. Levendbarend.

Scholen doornhaaien trekken onvoorspelbaar door de noordelijke Atlantische Oceaan, de Noordzee en de Middellandse Zee. Het is een commercieel belangrijke vis die verkocht wordt als zee- of koningspaling.

Er zijn meer soorten doornhaaien; allemaal met een doorn voor de rugvin en zonder aarsvin. In Europese wateren leven vijftien soorten. De zwarte doornhaai is een andere kleine doornhaai (tot 50 cm lang); hij heeft een zwarte, fluweelachtige huid.

Een kleine haai met een korte, ronde snuit. Zanderig bruin met vele donker-bruine vlekken op rug en flanken, crème op de buik. Onder de snuit ligt een grote flap (bestaand uit twee samengegroeide neusflappen) tot over de bovenlip.

Meestal bij zanderige of modderige zeebodems bij zandbanken. Voedt zich voornamelijk met weekdieren en kreeftachtigen. De vrouwtjes leggen hun eieren in eikapsels met hoorntjes; de eikapsels (**1**) spoelen vaak op de kust aan.

De meest algemene haai van Europa. Zwemt in de kustwateren van de Atlantische Oceaan en de Middellandse Zee op een diepte van 5-110 m, meestal rond 55 m. Commercieel van belang, wordt verkocht als zalm of zeepaling. ook gebruikt om te ontleden.

De kathaai lijkt veel op de hondshaai, maar is groter (tot 1,5 m), forser en zeldzamer. Hij heeft twee gescheiden neusflappen die niet tot aan de bovenlip reiken. Hij zwemt bij voorkeur boven ruwe, rotsige zeebodems op 20-60 m diepte.

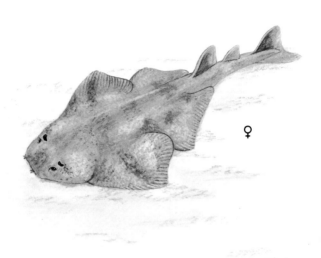

♀

Een opvallende vis die plat is, maar niet zo plat als een rog. Hij heeft een brede kop en grote borstvinnen als vleugels. Geen aarsvin. Spuitgaten boven op kop zijn groter dan ogen. Onderste lob van de staart langer dan bovenste lob.

Een bodembewonende vis, ligt half begraven in zand of grind, 's zomers op 5-7 m. Kan ook actief zwemmen met forse zwiepen van zijn staart. Voedt zich met platvissen, roggen, wulken, krabben enzovoort. Levendbarend.

's Winters in diep water, 's zomers langs de kusten van de Middellandse Zee, de Atlantische Oceaan en de oostelijke Noordzee tot aan de Shetland eilanden.

Echte haaien zijn gestroomlijnder; de bovenste lob van hun staart is langer dan de onderste lob. Roggen zijn veel platter. In de Middellandse Zee en het aangrenzende deel van de Atlantische Oceaan komen nog twee andere soorten voor.

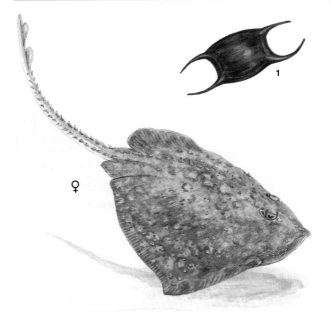

Kleine rog met korte snuit, gemarmerd grijs of reebruin van kleur, doorns op rug en buik. Vrouwtjes en jongen hebben ook een rij stekels op de rug, mannetjes enkel op de staart. De borstvinnen zijn hoekig aan de top, de hoek is ongeveer 90°.

Ligt op de zeebodem in modder, zand of grind. Voedt zich met kreeftachtigen als krabben en garnalen; zwemt ook wel op om vissen te vangen met de borstvinnen. Vrouwtjes leggen eieren in eikapsels met stekels (**1**); de kapsels spoelen vaak aan.

De meest algemene rog in de ondiepe kustwateren van Europa. Komt voor tot een diepte van 60 m langs de kusten van de Atlantische Oceaan, Noordzee en Middellandse Zee tot aan de Zwarte Zee. Commercieel belangrijk, wordt verkocht als vleet.

De blonde rog heeft meer afgeronde borstvinnen; de adulten hebben doorns op de rug, de jongen niet. De rug is lichtbruin met kleine, zwarte vlekjes. Algemeen ten zuiden en westen van Engeland in water minder dan 100 m diep, vooral boven zand.

VLEET

tot **2 m** lang, **130 cm** breed; tot **90 kg**   *Raja batis*

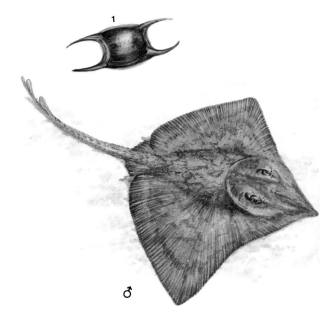

Grote rog met lange, puntige snuit, doorns op de rug (vrouwtjes enkel voor op rug), een rij stekels over de staart en doorns op de onderzijde. De rug is grijs of bruin met lichte en donkere vlekken, de onderzijde blauwgrijs met donkere vlekken.

Zwemt in water van 35-600 m diep. Voedt zich met verschillende soorten bodemvis en kreeftachtigen, zwemt ook op om andere vis te pakken. De eikapsels (**1**) lijken op die van de stekelrog, maar zijn groter (15-24 cm, stekelrog 6 cm).

De grootste rog van Europa en waarschijnlijk de meest algemene diepwaterrog van de Noordzee en de Atlantische Oceaan. Van Noord-Scandinavië tot Spanje en in de Middellandse Zee. Commercieel belangrijke vissoort.

De scherpsnuit heeft een zeer lange snuit. Ook hij is een grote rog van diep water langs de Atlantische kusten, maar komt niet voor in de Noordzee of de Ierse Zee. Wordt in de viswinkel als vleet verkocht.

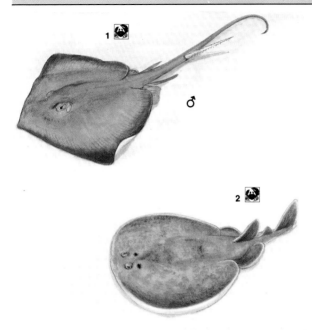

Pijlstaartrog (1)

Een grote, opvallende rog (tot 2,5 m) met een vrijwel rechte voorkant (afgezien van de puntige snuit) en een lange staart. Hij heeft een gifstekel halverwege de staart; deze kan een lelijke wond veroorzaken. Geen rugvinnen. Huid grotendeels glad, grote exemplaren hebben een paar stekels. Rug grijs, olijf of bruin, crème van onderen, donkerder aan de randen. Vrij algemeen in ondiepe kustwateren en estuaria van Middellandse Zee tot zuiden Scandinavië. Vaak begraven in zand.

Sidderrog (2)

Een grote, ronde rog (tot 1,8 m) met een korte staart. Hij heeft een gladde huid en twee afgeronde rugvinnen, de eerste veel groter dan de tweede. Donkerbruine, zwarte of blauwe rug, witte buik. Kan bij onvoorzichtigheid een zware stroomstoot uitdelen met elektrische organen aan weerszijden van de kop; voltage hangt af van het formaat van de rog. Gewoonlijk in ondiep water (10-50 m). Het Kanaal tot mediterrane en Afrikaanse kusten, naar het zuiden toe algemener.

HEILBOT

meer dan **2,5 m**; tot **300 kg**   *Hippoglossus hippoglossus*

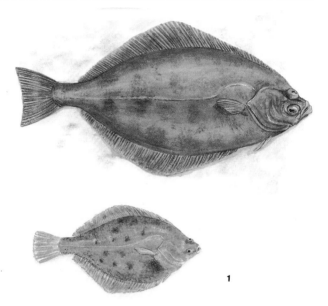

1

Een zeer grote platvis met een vrij lang, smal lichaam, maar dik in doorsnede. Mond rechts van de ogen, grote kaken. Zijlijn sterk gebogen rond borstvin. Staartvin hol gebogen. Donker olijfgroene 'rug', parelachtig wit van onderen.

Jonge vis leeft bij zandbanken uit of dicht bij de kust; oudere vis langs de rand van het continentaal plat op zand-, grind- en kleibanken. Migreert over grote afstanden, maar blijft in water van 3-5° C. Voedt zich met kreeftachtigen, vis en weekdieren.

Noorden Atlantische Oceaan, bij Noorwegen, IJsland, Groenland en Noord-Amerika. Ook zuidelijker langs de westkust van Groot-Brittannië tot aan de Golf van Biskaje. Een waardevolle consumptievis, maar overbevist en daardoor zeldzaam geworden.

Schar (**1**) heeft dezelfde vorm, maar is kleiner (tot 40 cm). Zijn staart is bol en de 'rug' ruw bij aanraking. Zeer algemeen in kustwateren langs de Golf van Biskaje en verder noordwaarts. Op zandbanken en zandige kusten, vooral op diepten van 20-40 m.

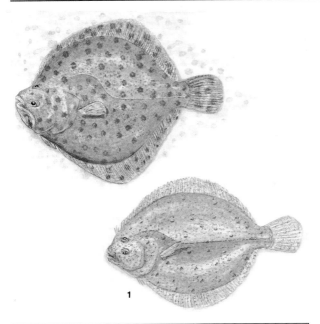

1

Grote platvis met een vrijwel rond lichaam, zijn 'rug' neemt de kleur van de zeebodem aan, de onderzijde is wit; de 'rug' is bedekt met talloze benige knobbeltjes. Mond links van het oog. De rugvin begint voor de ogen. Grote, sterk gebogen kaken.

Ligt op zand- en grindbodems; van de kust tot 80 m diep (niet in estuaria), jonge vis dichter bij de kust. Zeer jonge vis kan vanaf het zandstrand of in rotspoelen worden gezien. Volwassen dieren eten vooral vis als zandspiering, sardines, kabeljauw.

Van het zuidelijk deel van de Oostzee tot in de Atlantische Oceaan en de Middellandse Zee. Tarbot is een belangrijke consumptievis, die hoge prijzen opbrengt. De meeste worden op de Noordzee gevangen.

Griet (**1**) heeft de bek ook links van de ogen. Lichaam ovaal, tot 60 cm lang. Heeft gladde schubben in plaats van knobbeltjes op zijn 'rug'. Komt voor in ondiep water op zand en grind in de Noordzee en Atlantische en mediterrane wateren.

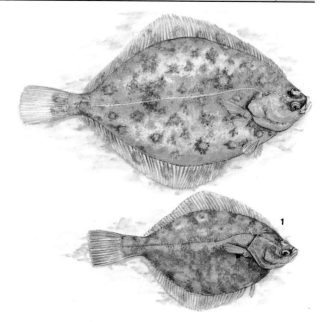

1

Een opvallend gekleurde platvis; van boven bruin met heldere rode en oranje vlekken. Wit van onderen. Kleine bek aan het uiteinde, rechts van de ogen. Huid glad, maar met 4-7 benige knobbeltjes van de ogen tot het begin van de zijlijn.

Leeft niet ver van de kust in 3-120 m diep water, de jongste vis het dichtst bij de kust. Vooral op zand, maar ook op modder en grind. Zoekt meestal overdag voedsel, 's zomers intensiever dan 's winters; eet kreeftachtigen, weekdieren en wormen.

In de Oostzee, langs de Noorse kust, rond IJsland, door de Noordzee en langs de westelijke kust van Groot-Brittannië tot in het westelijke deel van de Middellandse Zee. Commercieel zeer belangrijke platvis; populair bij sportvissers.

Bot (1) wordt 50 cm lang. De bot heeft stekelige schubben langs de basis van aarsvin en rugvinnen en langs zijlijn; één of twee benige knobbeltjes aan begin van zijlijn. Komt voor in estuaria en brakwater bij Noordzee, Atlantische en mediterrane kusten.

Een langgerekte platvis, herkenbaar aan de afgeronde kop en de rugvin die tot de voorkant van de kop doorloopt. Bek rechts van de ogen. Rugvin en aarsvin zitten aan de staartvin vast. 'Rug' donkerbruin met donkere vlekken; zwarte vlek op borstvin.

Algemeen in kustwateren met een diepte van een paar meter tot 120 m; 's zomers hoger, 's winters dieper. Op zand en zanderige modder; bij helder licht deels ingegraven, actief bij bewolkt weer en 's nachts. Eet kreeftachtigen, tweekleppigen, wormen.

Zuidelijke kust Scandinavië, Noordzee, westkust Groot-Brittannië tot in de Middellandse Zee (ten noorden van Schotland zeldzaam). Waardevolle consumptievis, wordt vooral 's nachts gevangen.

De **tongschar** (1) is ondanks zijn naam eerder verwant aan de schol dan aan de tong. Hij is glad en slijmerig bij aanraking. Komt vooral voor op grindbanken bij de kust op 40-200 m diep in Noordzee en Atlantische Oceaan. Waardevolle consumptievis.

ZEEDUIVEL of HOZEMOND

meestal tot **40-60 cm**

Lophius piscatorius

Een opvallende vis met een zeer brede kop, wijdopen bek en grote gebogen tanden. Huid los, zonder schubben en met losse flappen, vooral langs de randen. Enkele stekels op de kop; de voorste heeft een vlezig flapje aan de top (het lokaas).

Meestal op een diepte van 20-550 m of dieper, vooral in diep water. Ligt deels begraven in zand of modder op de zeebodem. Laat het lokaas vrij en hengelt naar kleinere vis. Vangt allerlei soorten vis, maar ook krab, kreeft en inktvis.

Van noordelijk deel Atlantische Oceaan bij Noorwegen en IJsland tot de Middellandse Zee en Afrikaanse kust, ook in de Noordzee. Wordt zonder kop en huid verkocht als forellensteur.

Lijkt niet op andere soorten.

Een ronde, donkergrijze of blauwgroene vis bedekt met benige, wrattige platen en rijen knobbels op rug en flanken. De borstvinnen vormen een zuigschijf onder de kop. Rugvin vlak bij staart. Mannetjes hebben een oranje buik in de paartijd.

Leeft op de zeebodem van de laagwaterlijn tot 300 m, meestal tot 50 m. Eet kreeftachtigen, wormen, vissen en weekdieren. De eitjes worden in het laag-eulitoraal gelegd, waar ze door de mannetjes worden bewaakt. Larven drijven vaak mee op zeewier.

In de Atlantische Oceaan van Portugal tot de noordelijke kust van Noorwegen en in de Noordzee; ook rond IJsland en in de Poolzee. Hij kan gerookt of gezouten gegeten worden. De kuit wordt als goedkope kaviaar verkocht.

Lijkt niet op andere soorten.

Een hoge, smalle vis met een zeer stekelige eerste rugvin. Ook de aarsvin is stekelig. Kortere stekels langs buik en langs rug- en aarsvin. Massieve kaken. Geelbruin of grijs met een vlek met lichtere ring eromheen op beide flanken.

Solitair levende vis van kustwateren tot een diepte van 200 m. Meestal op zand, vaak in de buurt van rotsen. Hangt stil in het water door golfbewegingen met de vinnen te maken. Pakt vissen door ze te achtervolgen en plotseling de kaak uit te stulpen.

Ten zuiden en westen van de Britse eilanden tot aan de kust van Afrika en in de Middellandse Zee. Zwerft tot in de Noordzee. Uitstekende consumptievis die in Frankrijk en Zuid-Europa gegeten wordt.

Lijkt niet op andere soorten

1

Een vis met een grote kop; heeft sterke stekels op snuit en kieuwdeksels en aan weerszijden van de rugvin. Borstvinnen rood aan buitenkant, helderblauw aan binnenkant; de eerste drie stralen vrijwel los. Lichaam dofrood met witte of gele buik.

Zwemt in losse scholen over de bodem, meestal op een diepte van 50-150 m, vaak op zand of grind. Ze knorren tegen elkaar en lopen op hun borstvinnen, die ze ook gebruiken om voedsel te zoeken. Ze eten garnalen, krabben, vissen en tweekleppigen.

De grootste poon van Europese wateren. Vrij algemeen in de Ierse Zee en de centrale Noordzee; naar het zuiden tot in de Middellandse Zee en de Zwarte Zee. Zelden noordelijker. Populair bij sportvissers; goed eetbaar.

Van de zes soorten ponen in de Europese wateren, zijn er vier algemeen. De algemeenste, de **grauwe poon** (**1**), komt voor langs de Atlantische en mediterrane kusten tot een diepte van 140 m, 's zomers vaak in zanderige inhammen en estuaria. Wordt 40 cm.

Een kleine, met benige platen bedekte vis. Hij heeft een scherpe stekel op elk kieuwdeksel en een paar stekels op de snuit. De kop is breed met vele baarddraden aan de onderzijde. Bruin met brede, donkere banden over de rug; buik crème.

Zeer algemeen langs de kust en in estuaria. Leeft op de bodem in water met een diepte van 5-200 m, meestal op zand of modder. Voedt zich met allerlei soorten bodemdieren, vooral kreeftachtigen, maar ook met wormen, weekdieren enzovoort.

Komt voor langs de kusten van Noorwegen en IJsland, in de Noordzee en het westelijk deel van de Oostzee, en langs de westkust van Groot-Brittannië tot in Het Kanaal. In het noorden het hele jaar, zuidelijker alleen 's winters.

Lijkt niet op andere soorten.

Kleine, schubloze vis met brede kop vol doorns en korte stekels op kieuw-deksels; lange, stekelige vinnen en een rij stekels op beide flanken. Het membraan van de kieuwdeksels loopt door als flap tot onder de keel. Kleur bruinig, varieert met seizoen.

Zwemt langzaam; leeft op zanderige en modderige bodems bij de kust tot 60 m diep. Voedt zich met kreeftachtigen en met andere vissen. Legt eieren in rotsspleten of tussen zeewier. De stekels kunnen lelijke wonden met infectiegevaar veroorzaken.

Rond Groot-Brittannië en noordelijker tot de Noorse kust. In ondiep water en langs de kust in zeewier nog noordelijker, in dieper water ook zuidelijker. Kan problemen voor de commerciële visvangst veroorzaken door garnalen en jonge vis te eten.

Er komen meerdere soorten voor langs de Europese kusten. De groene zeedonderpad is kleiner (tot 15 cm); de bovenste stekel op het kieuwdeksel is langer dan de andere stekels. Langs rotsige kusten onder zeewier in Atlantische Oceaan en Noordzee.

Een schubloos visje met een gladde, slijmerige huid. De lange rugvin heeft een inkeping in het midden. De borstvin bestaat uit twee lange stralen onder de keel. De kleur is afhankelijk van het biotoop; gewoonlijk is hij groen en bruin gevlekt.

De meest algemene vis langs rotskusten; ook langs zand- en waddenkusten, meestal in het midden-eulitoraal en dieper. Hij leeft in poelen, onder stenen en zeewier. Graast op algen en zeepokken, eet ook kreeftachtigen en weekdieren.

Komt voor langs de zuidwestkust van Noorwegen, bij de kusten van Groot-Brittannië en verder zuidwaarts tot aan de zuidkust van Portugal. 's Winters in dieper water. Wordt veel door zeevogels gegeten.

Er zijn meer soorten slijmvissen. De meeste hebben een vertakte spriet boven het oog. De zeevlinder (met een vertakte spriet) is een gelig visje dat op rotsige bodems op een diepte van 6-8 m leeft ten zuiden van Engeland tot in de Middellandse Zee.

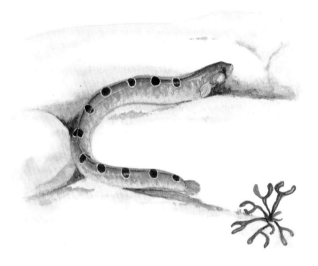

Een langgerekt, slijmerig visje met een smalle rugvin. Bruinig gekleurd met onregelmatige donkerbruine banden en een donkere streep door de ogen. Verder heeft hij ongeveer twaalf ronde, zwarte vlekken met een witte ring aan weerszijden van de rugvin.

Algemeen langs de kust tussen halftij en de laagwaterlijn onder zeewier en in rotspoelen en -spleten; ook verder in zee tot 30 m diep. Voedt zich met kreeftachtigen, wormen en weekdieren. Het vrouwtje legt de eitjes onder stenen en bewaakt ze.

Komt voor langs de kusten van IJsland en Noorwegen, in het westen van de Oostzee en in de Noordzee en de Atlantische Oceaan ten noorden van Het Kanaal. Een belangrijke voedselbron voor andere, commercieel belangrijke vissoorten.

Geen soorten die er op lijken. De botervis is verwant aan de slijmvissen.

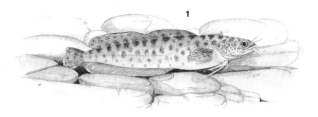

1

Donkerroodbruin, langgerekt visje met vijf baarddraden: één aan de kin, vier aan de bovenlip. Twee rugvinnen; de eerste bestaat uit één grote straal met een rij korte haarachtige stralen erachter, de tweede is lang en smal, net als de aarsvin.

Algemeen in poelen langs rotskusten; komt ook voor in poelen bij stenen dammen en golfbrekers langs zandstranden, en in water van het sublitoraal. Voedt zich met allerlei kreeftachtigen.

Van de kusten van Noord-Noorwegen langs de kusten van de Noordzee en de westkust van Groot-Brittannië tot Portugal.

Andere meunen leven in kustwateren, bijvoorbeeld de **driedradige meun** (**1**). Alle meunen hebben de typerende rugvinnen en drie tot vijf baarddraden rond de bek; kleur en verspreidingsgebied verschilt per soort.

1

Langgerekt visje met een zware kop en dikke lippen. Twee rugvinnen, beide vrij kort; de tweede lijkt op de aarsvin. De borstvinnen zijn vergroeid tot een zwakke zuigschijf op de buik. Grijs met een rij witte vlekjes op de flanken.

Dit is de meest algemene grondel in getijpoelen langs zand- en waddenkusten; veel te vinden in estuaria of langs de waterkant. 's Winters migreert hij naar dieper water. Voedt zich met kleine kreeftachtigen.

Komt voor langs de Oostzee, en verder zuidwaarts langs de kusten van de Noordzee en de Atlantische Oceaan tot aan de Middellandse Zee. Een belangrijke voedselbron voor zeevogels en voor andere vissoorten.

Europa telt vijftien soorten grondels; alle met een zuigschijf. De kleurige grondel is bruin met zwarte vlekken en leeft in getijpoelen langs ruige kusten en in zeegrasvelden. De **zwarte grondel** (**1**) wordt 15 cm en leeft in estuaria en baaien.

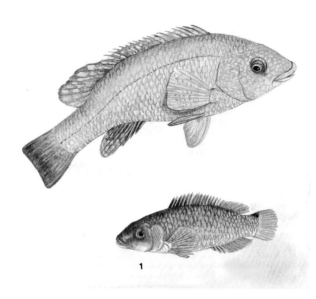

1

Vrije lange vis met hoog lichaam. Eén rugvin, voorste stralen stekelig, achterste zacht. Zware kop met dikke lippen. Kleur variabel; vaak groen tot groenig bruin, buik en gepaarde vinnen vaak roodachtig met witte vlekken. Achterrand schubben donker.

Jonge vis veelal in getijpoelen, oudere vis langs rotsige kusten tot 30 m diep. Vaak alleen of met twee of drie exemplaren bijeen. Voedt zich met garnalen, krab, kreeft, weekdieren en zeepokken, die hij van de rotsen schraapt.

Algemeen van de westkust van Schotland tot aan de Canarische Eilanden en in de Middellandse Zee; zeldzamer in de Noordzee en langs de Scandinavische kusten.

Eén van de zeven soorten lipvissen in Europa. Allemaal kleine vissen die direct bij de kust leven. De **kliplipvis (1)** is vrij algemeen langs steile, met wieren begroeide rotskusten langs Atlantische Oceaan en Middellandse Zee. Maximaal 18 cm lang.

Roodachtig met gele strepen op rugvinnen en flanken; kin met twee baard-draden; twee hoge, duidelijk gescheiden rugvinnen; de eerste met dunne, flexibele stralen. Grote, kwetsbare schubben, vaak verdwenen. Stompe snuit, steil aflopend naar bek.

Komt vooral voor bij zanderige of stenige bodems, 's zomers in kustwateren, 's winters in dieper water tot maximaal 50 m. Voedt zich met bodembewo-nende prooi als kreeftachtigen, wormen, weekdieren en vis en zoekt het voedsel met de baarddraden.

Vrij algemeen vanaf Het Kanaal en de Ierse kust tot aan de Middellandse Zee; in de Noordzee zeldzamer. Uitstekend eetbare vis; commercieel van belang in de Middellandse Zee en de Golf van Biskaje. Noordelijker wordt er niet op gevist.

Lijkt niet op andere soorten.

KLEINE PIETERMAN
tot **14 cm**

Echiichthys vipera

Stevig, smal, geelbruin visje met schubben in diagonale rijen. Twee rugvinnen, de eerste zwart en met giftige stekels; de tweede als de aarsvin. Scherpe, giftige stekel op kieuwdeksel. Grote, schuine bek. Ogen bovenop kop.

Komt voor op zeebodem van laagwaterlijn tot een diepte van 50 m. Graaft zich in met enkel kop en rug vrij; de giftige stekels kunnen erg pijnlijke wonden toebrengen aan badgasten. Voedt zich 's nachts met kreeftachtigen, vis, weekdieren en wormen.

In de Noordzee vanaf Denemarken en in de Atlantische Oceaan vanaf de Shetlandeilanden verder naar het zuiden tot Noord-Afrika en de Middellandse Zee. Zit vaak tussen de vangst van garnalenvissers, die daarom voorzichtig moeten sorteren.

De grote pieterman is veel langer, grijsbruin van kleur en heeft een onregelmatige donkere tekening. Heeft ook gifstekels en stekels voor de ogen; de borstvinnen zijn ingekeept. Graaft zich in op 30-100 m diepte; Zweedse tot mediterrane kusten.

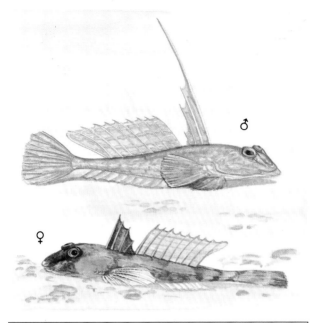

Kleine vis met brede kop, vier stekels op kieuwdeksels en stekelige vinnen. Slijmerige huid. Mannetje heeft blauwe en gele strepen en zeer lange, gebogen stekels in de eerste rugvin. Vrouwtje heeft kortere stekels en dofbruine kleur.

Pitvissen leven op zanderige zeebodems op een diepte van 50 m. Voedt zich met kleine kreeftachtigen, tweekleppigen en wormen. Tijdens het paaien vertoont het mannetje baltsgedrag; hierbij spelen de kleurige vinnen een belangrijke rol.

Komt voor van de kusten van Noorwegen, de Noordzee en de Britse eilanden tot aan die van de Middellandse Zee.

De twee andere soorten pitvissen in Europa zijn kleiner en minder algemeen. De gevlekte pitvis wordt maximaal 14 cm lang; beide geslachten zijn bruin met blauwe en donkerbruine vlekken in plaats van strepen. Zwemt dieper, 90-300 m, vooral bij zand.

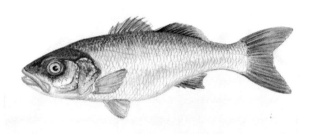

Langgerekte vis met twee rugvinnen, de eerste stekelig, de tweede met zachte stralen. Borstvinnen voor op buik. Aarsvin met drie stekels. Kieuwdeksel met tanden op onderrand. Blauwe of grijze rug, zilverkleurige flanken, witte of gelige buik.

's Zomers zeer algemeen in kustwateren en estuaria rond rotsen en boven zand en modder. Grote exemplaren leven solitair, jongere vissen vormen scholen. Vraatzuchtige predator van andere vis, inktvis en kreeftachtigen.

Rond zuidkusten van Britse eilanden, verder zuidelijk langs Atlantische kust en in de gehele Middellandse Zee. Populair bij sportvissers.

De schriftbaars is een familielid uit de Middellandse Zee; zijn stekelige eerste rugvin en zachte tweede rugvin lopen in elkaar over. Hij leeft tussen rotsen en in grotten 20-120 m diep. Grote exemplaren tot 2 m zijn zeldzaam door overbevissing.

RODE ZEEBRASEM

Pagellus bogareveo   tot **50 cm**

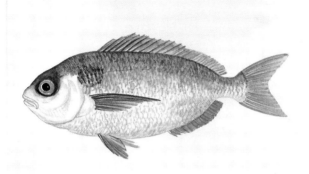

Soort met hoog lichaam, grote ogen en één rugvin, waarvan de voorste helft stekelig is. Voorste tanden gebogen en scherp, zijtanden talrijk, klein en rond. Grijzig rood met zilverige buik en rode vinnen; meestal met donkere vlek begin zijlijn.

Jonge vis zwemt rond ruwe bodem vlak bij de kust, oudere vis boven zanderige of modderige bodems in dieper water van het continentaal plat, tot 200 m. Voedt zich met vis, stekelhuidigen, kreeften en krabben.

Algemeen ten zuiden en westen van de Britse eilanden, naar het zuiden tot aan de Canarische Eilanden en de Middellandse Zee. Migreert 's zomers naar de Noordzee tot Noorwegen. Smakelijke vis, commercieel van belang. Geliefd bij sportvissers.

De verwante witte zeebrasem heeft dezelfde vorm maar met grijze of zilverige flanken, een donkergrijze of zwarte rug en donkere, verticale strepen op rug en flanken. Zwemt tussen rotsen van mediterrane en Atlantische kusten tot Schotland.

Grote vis met een vetvin tussen rugvin en staart. Zilverig blauwgroene rug, zilveren flanken en buik; zwarte, ronde en x-vormige vlekjes boven de zijlijn. Dunne staartwortel. 10-13 schubben tussen vetvin en zijlijn.

Zalmen trekken op zee over grote afstanden; ze voeden zich met kreeftachtigen en vis. Volwassen zalmen zwemmen rivieren op om ver stroomopwaarts in de winter te paaien. Jonge zalm zwemt naar zee na 1-3 jaar in de rivier te hebben doorgebracht.

Komt voor in de Oostzee, Noordzee en de Atlantische Oceaan tot aan de Golf van Biskaje. Waardevolle consumptievis waaromheen een belangrijke vis- en viskweekindustrie is ontstaan. Door de dunne staartwortel is de zalm goed vast te pakken.

Rivierzalm wordt groenig tot bruinig van kleur en heeft oranje vlekken; mannetjes ontwikkelen een haak aan de onderkaak. **Forel** heeft een dikkere staartwortel en daardoor geen grip; hij heeft 13-16 schubben tussen vetvin en zijlijn.

Grote, zilverkleurige vis met roodachtige vlekken op de rug, flanken en kieuwdeksels. Hij heeft een vetvin tussen rug- en staartvin. Brede staartwortel, daardoor moeilijk vast te grijpen. 13-16 schubben tussen vetvin en zijlijn.

Volwassen forel zwemt rivieren op om 's winters ver stroomopwaarts te paaien. Jonge vis zwemt naar zee en trekt daar over grote afstanden; eet vis en kreeftachtigen. Als de forel volwassen is, keert hij terug naar de rivier.

Komt voor langs de Noord-Atlantische kusten van IJsland tot aan de Golf van Biskaje, ook in de Oostzee en Noordzee. Belangrijke consumptievis, zowel commercieel als voor sportvissers. Forel brengt veel geld op.

Niet alle forellen trekken naar zee. Zoetwaterforellen (meerforel, beekforel) zijn kleiner en donkerder. De verwante arctische zalmforel, rug metallic blauw of groen, buik zilver, is een consumptievis uit de Poolzee en de Atlantische Oceaan.

AAL (PALING)

tot **1 m**

Anguilla anguilla

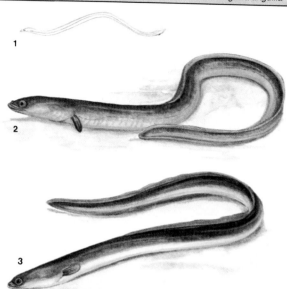

Slijmerige, ronde vis met vergroeide rug-, staart- en aarsvin. Onderkaak langer dan bovenkaak. Borstvinnen klein en afgerond, buikvinnen afwezig. Rugvin begint ver achter de borstvinnen. Schubben zeer klein en ingebed in de huid.

Jonge aal (glasaal) leeft langs de Atlantische kusten. Bij 8 cm verandert hij in rode aal. Veel rode aal zwemt de rivieren op, maar een deel blijft in zee. Na enkele jaren wordt rode aal blanke aal en trekt dan naar de Sargassozee om te paaien.

Glasaal ligt overdag in de modder van kustwateren, estuaria en rivieren, 's nachts voedt hij zich met kreeftachtigen en kleine vis. Blanke aal eet niet. Zowel glasaal als blanke aal is commercieel van belang.

Glasalen (**1**) zijn klein en doorzichtig. **Rode alen** (**2**) hebben een donkere rug en geel op de buik; mannetjes worden 40 cm, vrouwtjes 60 cm. **Blanke alen** (**3**) zijn nog donkerder op de rug, hebben grotere ogen en hebben zilveren flanken en buik.

Lijkt een grote paling, maar is schubloos, bovenkaak is langer dan onderkaak, borstvinnen zijn puntig. Rugvin begint vlak achter borstvin. Kleur variabel: rug licht- of donkerbruin, buik wit of goudkleurig, flanken kunnen grijs zijn.

Komt voor in de getijzone langs rotskusten; grote exemplaren in dieper water of in diepe poelen. Jaagt op kreeftachtigen en vis. Volwassen zeepaling trekt voor de paai naar diepzee (3000-4000 m) tussen Gibraltar en de Azoren of de Middellandse Zee.

Blijft altijd in zee (in tegenstelling tot de aal). Zeepalingen komen voor ten zuiden en westen van de Britse eilanden, in de Middellandse Zee en langs de Afrikaanse kust. In Frankrijk en Spanje worden ze met lange lijnen gevangen en gegeten.

De murene wordt 130 cm lang, is donkerbruin en heeft gele vlekken en geen borstvinnen. De beet met lange, scherpe tanden kan vanwege infectiegevaar gevaarlijk zijn. Leeft in spleten langs mediterrane rotskusten, zelden in de Atlantische Oceaan.

KABELJAUW

tot **1,5 m**

Gadus morhua

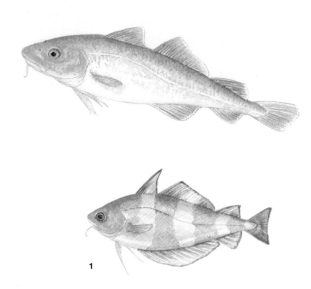

1

Grote vis met een lange baarddraad op de kin, drie afgeronde rugvinnen en twee aarsvinnen. De buikvinnen zitten bij de keel, nog voor de borstvinnen. Rug en flanken zijn bruin gestippeld; buik en zijlijn zijn wit.

Kabeljauw zwemt overdag in dichte en 's nachts in losse scholen van de kust tot 600 m diep water, meestal 30-80 m boven de bodem. Trekt over grote afstanden op zoek naar voedsel of om te paaien. Eet kreeftachtigen, weekdieren, wormen en vis.

Komt voor in de noordelijke Atlantische Oceaan, van Canada tot Noord-Europa, zuidelijk tot de Golf van Biskaje. Zwemt ook in de Oostzee en de Noordzee. Kabeljauw is commercieel een erg belangrijke vissoort.

De verwante **steenbolk** (**1**) wordt 40 cm lang; hij is koperkleurig, heeft donkere banden over de rug, een zwarte vlek aan de basis van de borstvin. Algemeen boven zanderige bodems langs de Atlantische en westelijke mediterrane kust en in de Noordzee.

1

Deze vis heeft drie rugvinnen, de eerste is hoog en puntig, de andere zijn afgerond. De buikvinnen zitten bij de keel, nog voor de borstvinnen. Korte baarddraad aan de kin en een zwarte vlek tussen de borstvin de eerste rugvin; zijlijn is zwart.

Verspreid in lokale populaties, meestal dicht bij de bodem en 10-300 m diep. Voedt zich met wormen, stekelhuidigen, weekdieren en vis. De adulten paaien in de winter, de jongen drijven mee met de zeestromingen onder de paraplu van kwallen.

Komt voor van Het Kanaal tot aan IJsland, in de Noordzee en langs de Noorse kust, niet in de Oostzee. Commercieel belangrijke vis die zowel vers als gerookt wordt verkocht.

Noorse kabeljauw (**1**) is een klein, schelvisachtig visje (maximaal 22 cm lang). Hij is erg algemeen in kustwateren van het westen van de Oostzee, in de Noordzee, de Atlantische Oceaan en het westen van de Middellandse Zee.

1

Heeft net als kabeljauw drie rugvinnen, twee aarsvinnen en buikvinnen bij keel, maar de baarddraad aan de kin is erg klein. Snuit lang en puntig. Rug donkerblauw tot groen, flanken en buik zilver, donkere vlek aan basis borstvin.

Zwemt voornamelijk in water 30-100 m diep. Voedt zich vlak boven de zeebodem met kreeftachtigen en vis, maar ook met wormen en weekdieren. Paait door het hele verspreidingsgebied, de jongen schuilen vaak onder de paraplu van kwallen.

Zeer algemene vis in de Noordzee, zwemt ook voor de westkust van Noorwegen tot IJsland, rond de Britse eilanden en zuidelijker tot aan de Middellandse Zee. Commercieel een belangrijke soort.

Blauwe wijting (**1**) is even groot, maar de drie rugvinnen staan ver uit elkaar; de eerste aarsvin heeft een zeer lange basis die voor de eerste rugvin begint. Enorme scholen zwemmen in de noordelijke Atlantische Oceaan en de Middellandse Zee.

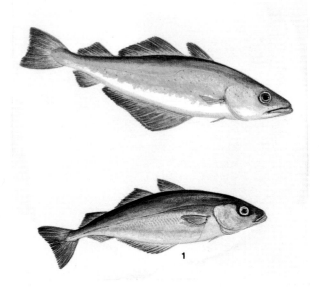

1

Kabeljauwachtige vis met drie rugvinnen en twee aarsvinnen; geen baard-draad. Zijlijn donker, gebogen boven borstvin. onderkaak steekt verder naar voren dan bovenkaak. Rug en vinnen donker, flanken gelig, lichter naar buik toe. Grote ogen.

Komt vooral voor in kleine scholen vlak onder de kust, tot een diepte van 200 m; meestal boven rotsen of ruwe bodem. Voedt zich met vis en kreeft-achtigen.

Algemeen langs de west- en zuidkusten van de Britse eilanden; minder algemeen rond IJsland, in de Noordzee en langs de Atlantische kusten tot Spanje. Populair bij sportvissers, die vanaf het land op ze vissen.

Koolvis (**1**) wordt commercieel gevangen; lijkt op pollak, maar heeft een rechte, lichtgekleurde zijlijn, kleinere ogen en een klein baarddraadje. Leeft in kleine scholen in dieper water dan de pollak; van Het Kanaal tot IJsland en Noorwegen.

Grote, langgerekte vis met twee rugvinnen, de eerste hoog en puntig, de tweede lang en laag; aarsvin lijkt op tweede rugvin. Grote bek met grote, scharnierende tanden; binnenkant bek is donker. Rug grijs of blauw, flanken en buik lichter.

Heken foerageren 's nachts in de middelste waterlagen en keren overdag terug naar de bodem. Ze eten vooral vis. Belangrijkste paaigronden ten westen en zuidwesten van de Britse eilanden; jongen drijven op de zeestromingen naar de kustwateren.

Noordelijk deel van de Atlantische Oceaan, van Noord-Noorwegen en IJsland via Noordzee en de westkusten van de Britse eilanden tot aan de Middellandse Zee. 's Winters op een diepte van 150-550 m, 's zomers minder diep. Commercieel belangrijke vis.

Lepophidium cervinum heeft één lange, lage rugvin en een identieke aarsvin; beide vergroeid met de staart en met een witte rand. Zwemt in kleine scholen in diep water van Noorwegen tot IJsland en voor de westkusten van Schotland en Ierland.

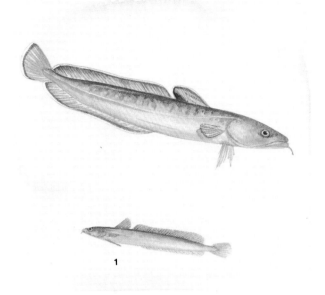

1

Grote, langgerekte vis met een lange baarddraad en twee rugvinnen, de eerste rond, de tweede lang en smal, net als de aarsvin. Borstvin kort. Kleine ogen. Bronsgroen gemarmerd, lichter op flanken en buik; donkere vlek op de eerste rugvin.

Vis van diep water; zwemt bij de bodem rond rotsen tot een diepte van 400 m, oude vis nog dieper. Het zijn roofvissen die zich voornamelijk met andere vissen voeden.

Noordelijke Atlantische Oceaan van IJsland en Noord-Noorwegen via Noordzee en westkant Britse eilanden tot aan de Golf van Biskaje. Commercieel waardevolle vis, wordt vooral gezouten en gedroogd verkocht in Zuid-Europa.

De **blauwe leng** (**1**) heeft dezelfde vorm, maar is zilverig blauw van kleur met een grijze rug, grote ogen en lange buikvinnen die tot voorbij de borstvinnen reiken. Leeft in diep water van de zuidwestkust van Engeland tot in de Middellandse Zee.

Donkere, grijsgroene vis met zilverige flanken en grijze strepen van kop tot staart. Buik en borstvinnen wit. Bek klein met een dikke, wrattige bovenlip. Beide rugvinnen en aarsvin kort; eerste rugvin heeft vier stralen.

Deze vis zwemt in dichte scholen in formatie in kustwateren en estuaria. Kan uit het water springen bij verstoring. Voedt zich in voorjaar en zomer voornamelijk met plankton. Schijnt een winterslaap te houden in dieper water, eet dan niet.

Langs de kusten van Noord-Europa en de Britse eilanden tot in de Middellandse Zee en de Zwarte Zee. In het hoge noorden nemen hun aantallen in voorjaar en zomer toe. Populair bij sportvissers, maar moeilijk te vangen.

De dunlipharder is minder algemeen. Hij lijkt op de diklipharder, maar heeft een zeer dunne bovenlip en mist wratten. Zwemt in ondiep kustwater en estuaria bij de zuid- en westkusten van de Britse eilanden en verder zuidwaarts.

Klein, zilverig, aalvormig visje; geelgetint op rug en flanken. De beneden-kaak steekt naar voren, de bovenkaak kan naar voren worden geschoven en vormt dan een lange buis. Eén zeer lange rugvin (met zachte stralen) en lange aarsvin. Geen buikvinnen.

Zeer algemeen vanaf het midden-eulitoraal bij zandstranden tot zandige bodems 30 m diep. Zwemt in scholen of ligt halfbegraven in het zand. Wordt wel uitgraven bij zandstranden voor aas. Voedt zich met visjes en wormen.

Kusten van Scandinavië en IJsland tot Oostzee en Portugal; zeldzaam in de Middellandse Zee. Van vitaal belang als voedsel voor veel commercieel belangrijke consumptievis als haring, kabeljauw, makreel. Sportvissers gebruiken ze als aas.

Een van de vijf soorten zandspieringen in de Europese wateren, drie leven in diep water. De smelt leeft vlak onder de kust (verspreiding als zandspie-ring); hij wordt tot 30 cm lang en heeft een zwarte vlek aan weerszijden van de snuit.

Haringachtige vis met een hoog, nogal plat lichaam en een rij schubben met kielen op de buik. Bovenkaak heeft een inkeping in het midden. Glanzend blauwe rug, zilverige zij en buik; zijkant kop en flanken goudkleurig met zes of zeven donkere vlekken.

Geslachtsrijpe vissen komen 's zomers voor in estuaria en riviermondingen, waar ze paaien (daardoor zijn ze door vervuiling erg achteruit gegaan). Jonge vis trekt in de herfst de zee op. Voedt zich met vis en kreeftachtigen.

Algemeen langs zuidwestkusten van Europa en in de Middellandse Zee, in de Noordzee veel zeldzamer.

Elft is groter (tot 60 cm lang) en heeft meestal maar één vlek op de flank. Veel zeldzamer in Noord-Europese wateren, algemener ten zuiden van Ier-land. Adulten zwemmen ver de rivieren op om te paaien.

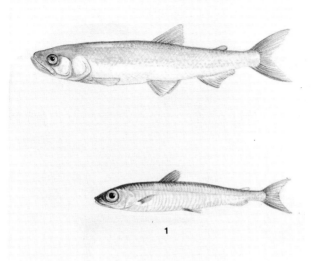

1

Slank visje met een extra vetvin op de rug vlak bij de staart. Rugvin ver naar achteren geplaatst. Staart duidelijk gevorkt. Grote bek met naaldachtige tanden. Rug licht olijfgroen, zilveren streep over flanken, crèmeachtig witte buik.

Zelden ver uit de kust. Volwassen spieringen trekken 's winters riviermondingen op om daar in het voorjaar te paaien, daarna keren ze terug naar zee. De jongen leven in estuaria. Het zijn actieve rovers die allerlei vis en kreeftachtigen eten.

Komt voor in de Oostzee, Noordzee en Atlantische Oceaan tot aan de Golf van Biskaje. Commercieel zijn ze van weinig belang, al worden ze wel gevangen voor visolie en als veevoer. Verse spiering ruikt naar komkommer.

De **lodde** (1) lijkt op de spiering, maar is slanker; zijn rugvin staat meteen voor de buikvin. Hij komt voor in water met een diepte van 50-200 m boven modder- en zandbodems van de noordelijke Atlantische Oceaan tot aan de Middellandse Zee.

HARING
tot **40 cm**

Clupea harengus

1

Een slanke, zilverkleurige vis met een donkerblauwe rug. Grote, ronde, dunne schubben. Eén rugvin, één aarsvin. Borstvinnen vrij laag geplaatst, buikvinnen op de buik. Bek naar boven gericht. Alle vinnen zijn zacht, zonder stekels.

Zwemt in zeer grote scholen bij de oppervlakte tot 200 m diep. Scholen trekken langs vaste, seizoengebonden routes achter hun voedsel aan, dat vooral uit kreeftachtigen in het plankton bestaat. Ze trekken ook ieder jaar naar en van de paaigronden.

Zwemt in de Poolzee en Atlantische Oceaan van Noord-Amerika tot Frankrijk. Ook in Noordzee en Oostzee. Commercieel belangrijke vis, wordt bedreigd door overbevissing; er worden strikte quota gehanteerd. Jongen worden als zeebliek gevangen.

Sprot (**1**) is kleiner, tot 14 cm lang; heeft een rij stekelige schubben over de buik van kop tot anus. Zwemt in grote scholen vlak onder de kusten van Scandinavië tot aan de Middellandse Zee. Commercieel van belang.

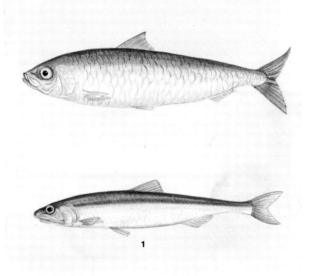

Lijkt een kleine haring, maar met een ronder lichaam. Opvallende radiale ribbels op de kieuwdeksels. De rugvin begint voor de buikvinnen. Rug groenig, flanken goud overlopend in zilverig wit op de buik. Geen doornige schubben op buik.

Zwemt 's nachts in grote, trekkende scholen, op een diepte van 25-55 m. Voedt zich met kreeftachtigen uit het plankton en met visseneieren. Paaiende scholen produceren miljoenen eieren.

Algemeen van Het Kanaal tot in de Middellandse Zee. In sommige jaren migreren ze naar de Noordzee, vooral tijdens warme zomers. Commercieel belangrijke vis; veel jonge vis wordt ingeblikt.

Ansjovis (**1**) is opvallend gekleurd met het groen van de rug gescheiden van het zilver van de flanken en buik. Zwemt in enorme scholen van de Noordzee tot de Middellandse Zee. Commercieel belangrijk; wordt meestal gezouten en ingeblikt.

HORSMAKREEL

tot **40 cm**

Trachurus trachurus

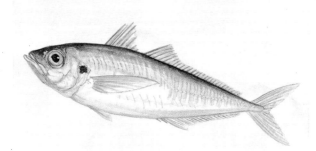

Vis met grote kop, twee stekels op buik en grote, beenachtige schubben langs de zijlijn. Twee rugvinnen, de eerste met hoge stekels, de tweede lang en aflopend, net als de aarsvin. Rug grijsgroen, flanken en buik zilver, zwarte vlek op kieuwdeksel.

Zwemt in grote scholen in open water bij de kust tot een diepte van 55 m, 's zomers in ondieper water boven zandbodems. Voedt zich met vis van open water, kreeftachtigen en inktvissen. Jonge vis schuilt vaak tussen de tentakels van kwallen.

Noordzee, noordelijke Atlantische Oceaan tot de Afrikaanse kust, Middellandse Zee, Zwarte Zee. In Noord-Europa commercieel niet van belang, zuidelijker wel. Wordt gegeten als sardines, vers of gerookt.

De verwante **loodsmannetjes** zwemmen mee met haaien, schildpadden en zelfs met schepen; ze komen voor in de Middellandse Zee en de zuidelijke Atlantische Oceaan, zelden tot aan Het Kanaal. **Makreel** lijkt op de horsmakreel, maar is niet verwant.

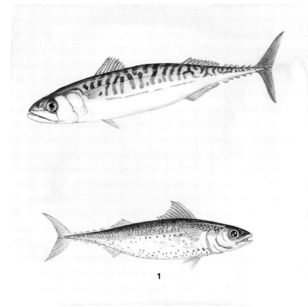

1

Makreel heeft een iriserend blauwgroene rug met gebogen, donkere strepen, zilveren flanken en buik. De twee rugvinnen staan ver uit elkaar. Achter de tweede rugvin en de aarsvin bevinden zich kleine stabilisatievinnen.

Makrelen zwemmen in voorjaar en zomer in enorme scholen in de bovenlaag van open zee, ze voeden zich met vrijzwemmende kreeftachtigen en vis. 's Winters trekken ze naar de diepte en blijven bij de bodem in een soort winterslaap, zonder te eten.

Komt voor in de noordelijke Atlantische Oceaan van IJsland tot de Middellandse Zee, ook in de Oostzee en Noordzee. Commercieel belangrijke vis, wordt vers of gerookt gegeten. Ze moeten kort na de vangst worden geconsumeerd omdat ze erg snel achteruitgaan.

De **Spaanse makreel** (**1**) heeft zwarte vlekken op zilverig gele flanken en buik. Komt voor in de Golf van Biskaje, de Middellandse Zee en de Zwarte Zee, waar er commercieel op gevist wordt. **Horsmakreel** is niet verwant aan deze soorten.

TONIJN
tot **245 cm; 300 kg**

Tunnus thynnus

Zeer grote vis met twee rugvinnen die elkaar bijna raken en een holle achterkant hebben. Heeft een aantal stabilisatievinnen achter de tweede rugvin en de aarsvin. Korte borstvinnen. Rug donkerblauw, flanken wit met zilveren vlekken, buik wit.

Algemeen uit de kust en in de open oceaan; zwemt in scholen met tonijn van dezelfde grootte; grote tonijn zwemt met dolfijnen. Voedt zich met vis als haring, makreel en zandspiering, en met inktvis. Tijdens het foerageren kan hij uit het water springen.

Het hele jaar in de zuidelijke Atlantische Oceaan en de Middellandse Zee; trekt in lente en zomer noordwaarts, ook naar de Noordzee. Wordt met netten of lange lijnen gevangen. Dolfijnen die in de netten verstrikt raken, verdrinken.

De witte tonijn heeft lange borstvinnen die tot aan de tweede rugvin reiken. Kleur bruin met een iriserend blauwe band op de flanken. Algemeen van de Golf van Biskaje tot in de Middellandse Zee. Ook deze soort is commercieel van belang.

Xiphias gladius gewoonlijk tot **2-3 m; 45-135 kg**

Een zeer grote vis met een lang zwaard op de snuit. Het zwaard is plat, in doorsnede ovaal. Staart in de vorm van een maansikkel. Eén rugvin, hoog en vlak bij de kop geplaatst. Geen buikvinnen. Kiel aan beide zijden van de staart.

Solitair levende vis; op open zee zijn ze te zien als de hoge rugvin boven het oppervlak uitsteekt. Hij maakt lange trektochten. Voedt zich met vis uit scholen, zoals haring, makreel en kabeljauw, maar ook met inktvis.

Weinig algemeen in noordelijke wateren. Algemener in de Middellandse Zee en uit de kust van Portugal. Commercieel van belang in Zuid-Europese wateren. Wordt meestal vers gegeten. Populair bij sportvissers.

Lijkt op geen enkele andere soort.

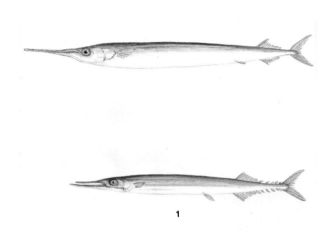

1

Zeer lange vis met snavelachtige bek en scherpe tanden. Rug groen of donkerblauw, flanken zilver, buik gelig. Aarsvin en buikvinnen geel met donkere rand, de andere vinnen zijn donker. Aarsvin en rugvin lijken op elkaar.

Leeft in grote, migrerende scholen, vaak samen met **makreel**, in de bovenste lagen van de open zee en bij de kust. De scholen trekken over grote afstanden in het kielzog van het dierlijk plankton waarmee de geep zich voedt.

Komt voor in de Atlantische Oceaan, de Noordzee, Oostzee en Middellandse Zee ('s zomers vaak dicht onder de kust). Commercieel van weinig waarde, vaak bijvangst bij makreel; kan springen om netten te vermijden. Populair bij sportvissers.

Makreelgeep (**1**) is een kleiner familielid (tot 45 cm). Achter aarsvin en rugvin zitten nog een aantal kleine vinnen. Zwemt in scholen in de Atlantische Oceaan en de Middellandse Zee, trekt 's zomers tot aan de Oostzee. Kan uit het water springen.

Zeenaalden

Zeer langgerekte vis tot 45 cm lang; lichaam bedekt met benige platen, waardoor hij hoekig lijkt. Snuit lang en buisvormig met kleine bek aan het het einde. Zwakke zwemmer, zwemt meestal door te trillen met de rugvin. Mannetje draagt de eitjes op de buik of in een buidel tot ze uitkomen. Er leven zes soorten in Europa, voornamelijk in ondiep water tussen wier. Mediterrane en Atlantische wateren, Noordzee, Oostzee. **Grote zeenaald** (**1**) is de grootste en meest algemene zeenaald.

Zeepaardje (**2**)

Opvallende visjes die bedekt zijn met hoekige platen. Komt voor in ondiep water langs de kust tussen zeewier en zeegrasvelden. Stuwt zich voort met de rugvin of houdt zich met de staart vast aan wieren. De ogen steken uit en kunnen onafhankelijk bewegen bij het zoeken naar prooi, vooral kleine kreeftachtigen, die ze in hun kleine bek zuigen. Mannetjes dragen de eieren in een broedbuidel tot ze uitkomen. Van Het Kanaal tot in de Zwarte Zee. Vooral ten zuiden van de Golf van Biskaje algemeen.

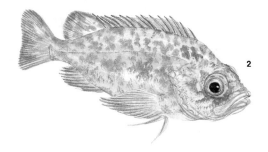

Steur (1)

Heeft vijf rijen benige platen langs het lichaam. Twee paar baarddraden. Blauwzwarte rug, lichtere flanken, witte buik. Rugplaten licht van kleur, vooral bij jonge steur. Vroeger vrij algemeen, nu vrij zeldzaam door overbevissing (de eieren zijn gezocht als kaviaar). Adulten leven in zee op 20-50 m diepte, maar zwemmen rivieren op om te paaien; de enige populaties zijn in de Gironde, Frankrijk en in de Golf van Biskaje; de Guadalquivir in Spanje en de Golf van Cadiz; en het Ladogameer in Rusland en de Golf van Finland.

Roodbaars (2)

Grote, helderrode vis, meer dan 1 m lang. De rugvin bestaat uit twee delen; het eerste deel heeft vijftien sterke stekels, het tweede zachte stralen. Grote, zware kop met doorns op kieuwdeksel. Vis van diep water uit de noordelijke Atlantische Oceaan en de Noordzee. Economisch van belang in Europa en Noord-Amerika, wordt diepgevroren verkocht. Wordt ook Noorse schelvis genoemd.

Zeewolf (1)
Vrij grote vis, tot 1,2 m lang.
Grote, hondachtige tanden voor
in de kaken en afgeplatte tanden
om te malen achterin bek. Rugvin
lang en laag. Schubben ver uit
elkaar en diep ingebed. Geen
buikvinnen. Bodemvis, oudere
dieren leven in diep water, tot 300
m, jonge vis in ondiep water, 's
zomers soms in het sublitoraal.
Noordzee, Noorse kust, rond
Schotland en IJsland en Noord-
Amerika. Consumptievis.

Puitaal (2)
Slijmerige, aalachtige vis, wordt
ongeveer 30 cm lang. Grote kop
en taps toelopend lichaam.
Lange, buigzame rug- en aarsvin
in één lijn met staartvin. Buikvinnen lang en slank. Borstvinnen
groot en afgerond. Schubben
klein en ingebed in huid. Ligt op
de bodem op een diepte van 4-
10 m, vaak begraven in modder
of onder stenen. Noordzee, Noorse kust, zeer algemeen bij Schotland en verder noordwaarts, leeft
daar ook op de kust. Wordt vers,
gezouten of gerookt gegeten.

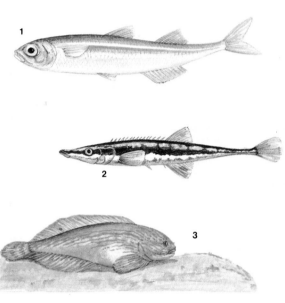

Koornaarvis (1)

Tot 15 cm lang visje met een zilveren streep op de flanken. Zwemt in dichte scholen bij het wateroppervlak van brakwater, estuaria, riviermondingen, rond dokken, soms in grote rotspoelen. West- en zuidkust Engeland tot in de Middellandse Zee. In noordelijk verspreidingsgebied 's zomers algemeen.

Zeestekelbaars (2)

Langgerekt visje, 10-15 cm lang. Heeft 14-15 stekels op de rug. Komt voor in estuaria en tussen zeewier op de kust. Rond Britse eilanden, Noorse kust en Oostzee. Mannetjes maken een nest tussen het wier, lokken vrouwtjes om eitjes te leggen en bewaken eitjes en jongen.

Slakdolf (3)

Zachte, slijmerige vis tot 18 cm lang. Buikvinnen vergroeid tot zuigschijf; rug- en aarsvin erg lang en verbonden met staartvin. Leeft in ondiep water en estuaria in de Ierse Zee, Noordzee en langs Noorse kust. De kleine slakdolf is een kleinere verwant die langs de kust voorkomt.

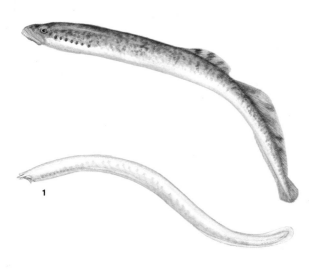

1

Aalachtige vis met slijmerige huid; heeft geen kaken, maar een hoornen zuigschijf rond de bek. Grote ogen. Zeven kieuwspleten achter de kop. Twee rugvinnen. Geen gepaarde vinnen. Vlekkerig bruinzwart gekleurd, meer grijs op buik.

Volwassen zeeprikken parasiteren op een groot aantal soorten vis (zoals zalm, kabeljauw, schelvis en haaien); ze zetten zich vast met hun zuigschijf, raspen door de huid heen en zuigen bloed. Kleine vissen sterven hierdoor, grote raken verzwakt.

Komt voor in de Noordzee, Atlantische Oceaan en de Middellandse Zee. Volwassen vissen leven in zee, maar zwemmen 's zomers rivieren op te paaien. De larven blijven vijf jaar in zoet water; na een metamorfose trekt de volwassen vis naar zee.

Jonge adulte rivierprik leeft in kustwateren; ze zijn kleiner en goudbruin gekleurd. De **blinde prik** (**1**) mist vinnen en baarddraden rond de liploze bek. Leeft in de Atlantische Oceaan en Noordzee, eet van vis aan lijnen, dode vis en kreeftachtigen.

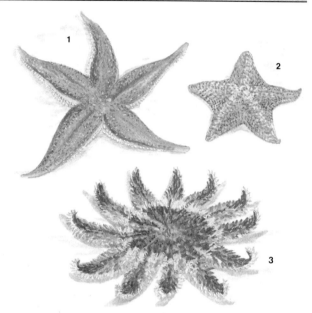

Stervormige stekelhuidigen met centrale schijf en vijf of meer armen (armen en schijf lopen in elkaar over) met een groef waarin een dubbele rij buisvoetjes met zuignappen zit. De mond zit aan de onderkant van de schijf, de anus aan de bovenkant.

Zeesterren lopen langzaam op hun buisvoetjes. Het zijn vleeseters, die zich veelal met weekdieren voeden. De gewone zeester trekt met zijn buisvoetjes tweekleppigen open; andere zeesterren slikken hun prooi in zijn geheel door.

Er komen veel soorten voor in de Europese wateren. Ze zitten onder rotsen of in poelen van het laag-eulitoraal tot in diep water. Sommige zijn plat en leven op of ingegraven in zandbodems; de kussenzeester is dikker en leeft rond rotsen.

Sommige zeesterren zijn taai en buigzaam: de **gewone zeester** (**1**), die een plaag voor mosselbanken is. Andere zijn hard met een dichte laag plaatjes: de **kussenzeester** (**2**), hij houdt zich vast aan rotsen in het laag-eulitoraal, net als de **zonnester** (**3**).

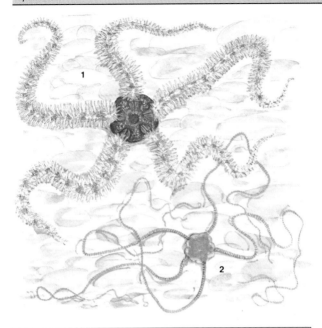

Stervormige stekelhuidigen. Kleine centrale schijf die duidelijk gescheiden is van de stekelige armen. Lichaam bedekt met harde platen. De groef met buisvoetjes is bedekt; voetjes missen zuignappen. De mond zit onderop de schijf, geen anus.

Brokkelsterren bewegen zich schoksgewijs met hun hele armen. Buisvoetjes worden gebruikt om te foerageren, niet om te lopen. Sommige eten dierlijk plankton dat ze met slijmdraden vangen; andere schuiven modder in hun mond en verteren wat eetbaar is.

Komt voor in de Europese wateren van het midden-eulitoraal tot diep water; op plaatsen waar stromingen plankton aanvoert, zitten ze soms in reusachtige aantallen. Op de kust graven ze zich in of schuilen ze in poelen onder stenen en zeewier.

De **gewone brokkelster** (**1**) leeft onder stenen en zeewier van het laag-eulitoraal tot in dieper water. De **lichte slangster** (**2**) graaft zich in in zand; hij komt voor vanaf het midden-eulitoraal tot in dieper water.

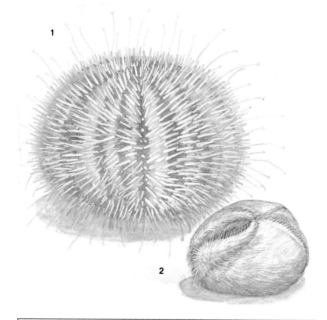

Bol- of hartvormige stekelhuidigen. Het brosse pantser bestaat uit in elkaar grijpende platen met talloze lange stekels die op een knobbeltje zijn geplaatst. Vijf dubbele rijen gaatjes voor de voetjes. De mond zit onderop, de anus bovenop.

Zee-egels leven vaak in groepen. Gewone zee-egels (de bolvormige) leven tussen rotsen, zeewier, en in poelen op rotskusten. Hartegels graven zich in in zand of modder. Delen van hun skelet spoelen vaak aan.

Te vinden in het laag-eulitoraal en kustwater tot 100 m diep. Er zijn veel mediterrane soorten en diverse Atlantische, die tot aan Het Kanaal voorkomen. Ook in Noordzee en Oostzee leven enkele soorten. Het skelet wordt vaak als souvenir verkocht.

De **eetbare zeeappel** (**1**) is uiteraard eetbaar. Algemeen in Noordzee en Atlantische Oceaan iets onder de laagwaterlijn. De **hartegel** (**2**) graaft zich in met behulp van zijn stekels in zand iets onder laagwaterlijn; groot deel van de Europese wateren.

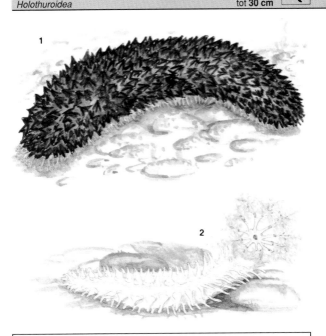

Leerachtige, slappe dieren die op augurken lijken. De mond zit aan het ene einde en is omringd door een krans van intrekbare tentakels. De anus zit aan het andere einde. Ze hebben of geen of drie of vijf rijen buisvoetjes (met zuignappen).

Sommige soorten leven in rotsspleten, andere kruipen langzaam over de bodem of graven zich in. Ze verzamelen voedsel met de tentakels. Sommige stulpen kleverige, witte draden uit bij gevaar om zo een aanvaller in te kapselen of af te leiden.

In de Europese wateren komt een aantal soorten voor. Kleine soorten leven langs de kust, grotere in dieper water. Sommige mediterrane soorten zijn eetbaar.

De **zwarte zeekomkommer** (**1**) wordt zo'n 12 cm lang en heeft drie rijen buisvoetjes aan de onderzijde. **Cucumaria saxicola** (**2**) heeft vijf rijen buisvoetjes. Beide leven rond rotsen in het sublitoraal langs de westkusten van Engeland en Frankrijk.

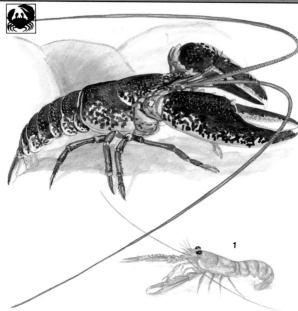

Grote, zwaar gepantserde, blauwzwarte kreeft met een zwaar pantser over kop en rug en massieve, ongelijke scharen. Het lange achterlichaam eindigt in een staartwaaier die omgeklapt kan worden. Antennen langer dan lichaam. Ogen op steeltjes.

Aaseter die 's nachts over de zeebodem loopt op zoek naar wormen, weekdieren en dode vis. Zwemt bij gevaar achteruit; gebruikt zijn scharen zowel voor verdediging als om te eten. De vrouwtjes dragen 's zomers de eitjes aan de zwempoten.

Komt voor van de laagwaterlijn tot een diepte van 40 m tussen rotsen en zeewier; verbergt zich in rotsspleten, waarbij enkel scharen en antennen zichtbaar zijn. Leeft in een groot deel van de Europese wateren. Wordt commercieel gevangen met vallen.

Noorse kreeft (**1**) lijkt op zeekreeft maar is veel kleiner (tot 20 cm lang) en heeft smalle scharen. Verbergt zich overdag in zachte modder of in zand op een diepte van 40-200 m in Atlantische en mediterrane wateren. Worden verkocht als scampi.

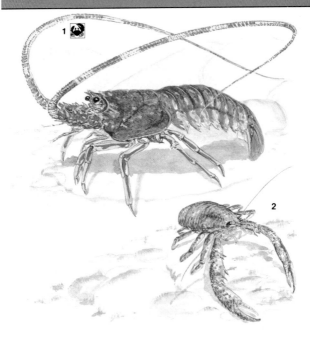

Langoest (1)
Wordt tot 50 cm lang, heeft een zwaar gepantserd stekelig lichaam en kleine scharen. De stekels kunnen lelijke wonden veroorzaken. Ze worden met kreeftenvallen gevangen, vooral in de Middellandse Zee. Ook in de Golfstroom langs de Atlantische kusten van Portugal, Frankrijk en de Britse eilanden. Ze leven meestal tussen rotsen een eindje uit de kust.

Galathea (2)
Een geslacht van kleine kreeften (maximaal 12 cm, meestal veel kleiner), met een gedrongen voorkomen vanwege de manier waarop het achterlichaam onder het borststuk is gevouwen. Ze hebben grote scharen aan het eerste paar looppoten (ze kunnen agressief zijn); het vijfde paar poten is gereduceerd. In Europese wateren komen verschillende soorten voor. Ze leven in rotssple-ten, onder stenen in het sublito-raal en uit de kust.

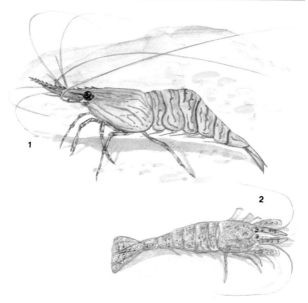

Relatief kleine, zwemmende kreeftachtigen; hoofd en borst gepantserd. Borststuk met vijf paar 'loop'poten; de eerste twee paar hebben kleine scharen. Het achterlichaam bevat vijf paar zwempoten en eindigt in een staartwaaier. Ogen op steeltjes.

Aaseters, zoeken voedsel door langzaam te lopen en de bodem af te tasten met hun antennen. Ze zwemmen rustig, maar schieten bij gevaar opeens naar achteren. De vrouwtjes dragen 's zomers de eitjes aan hun zwempoten.

Vele soorten in de Europese wateren; ze leven in rotspoelen, langs de kust, tussen zeewieren, bij zandstranden, in estuaria en zoutmoerassen en uit de kust. Veel soorten zijn eetbaar en worden commercieel bevist.

Steengarnalen als de **gewone steengarnaal** (**1**) hebben antennen die ten minste zo lang als het lichaam zijn en een lang rostrum tussen de ogen. Garnalen als de **gewone garnaal** (**2**) hebben geen rostrum en antennen die korter dan het lichaam zijn.

Een krab die in een leeg slakkenhuis woont. Het zachte en gebogen achter-lichaam wordt beschermd door het huisje. Kop en drie paar looppoten ste-ken naar buiten; het eerste paar draagt grote, ongelijke scharen. Ogen op steeltjes, antennen lang.

Aaseter. Bij gevaar trekt hij zich zo ver mogelijk terug in het huisje en blok-keert de ingang met zijn grote rechterschaar. Hij is er moeilijk uit te krijgen omdat hij zich vasthoudt met zijn achterste poten. Belangrijke voedselbron voor zeevogels.

Komt voor op stranden en in het sublitoraal, vaak op zandstranden en zand-banken, maar ook in rotspoelen en onder zeewier. Noordzee, Atlantische Oceaan, Middellandse Zee. Huis vaak bedekt met zeepokken, poliepen, sponzen en zeeanemonen.

Er komen verschillende soorten voor in de Europese wateren; ze lijken alle-maal op elkaar, maar hebben een eigen verspreidingsgebied. Kleintjes leven in de schelpen van tophoorns of alikruiken, grote in die van wulken.

NOORDZEEKRAB

gewoonlijk tot **20 cm** breed

Cancer pagurus

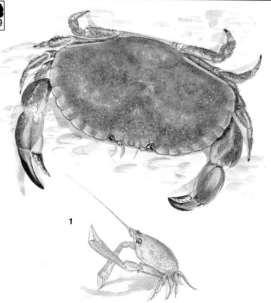

1

Grote krab met een breed, zwaar, afgerond borststuk dat kop en rug bedekt; randen rugschild gedeukt. Achterlichaam klein en onder lichaam geklapt. Deze soort heeft grote scharen en vier paar looppoten. De ogen staan op steeltjes.

Noordzeekrabben verbergen zich op rotsige bodems onder zeewier, stenen en in rotsspleten. Ze komen te voorschijn om tweekleppigen uit te graven of om stukjes aas te zoeken. Pas op voor de scharen!

Noordelijke Atlantische Oceaan, Noordzee en Middellandse Zee. Kleine dieren leven in poelen en het sublitoraal; grotere in dieper water; in de zomer tot 30 m diep, 's winters trekken ze naar dieper water. Wordt commercieel gevangen met vallen.

De **helmkrab** (**1**) wordt zo'n 4 cm breed. Leeft ingegraven in schoon zand in het laag-eulitoraal en het sublitoraal; enkel de lange, harige antennen en de scharen steken uit. Atlantische en mediterrane wateren.

Carcinus maenas

tot **10 cm** breed

1

Middelgrote krab; rugschild heeft afgeronde, zaagvormige tanden langs de voorrand. Ogen op steeltjes. Achterlichaam onder buikschild. Laatste lid van achterste poten is wat afgeplat en heeft een scherpe punt. Agressief, heeft grote scharen.

De gewone strandkrab graaft zich in zand in, of verbergt zich onder stenen, in rotsspleten of onder zeewier. Het is een aaseter die zich voedt met dode vis, slakken enzovoort. Prooi voor vis en zeevogels. Opent zijn scharen dreigend bij gevaar.

Zeer algemeen langs allerlei soorten kusten en in estuaria in het midden-eulitoraal. Kusten van Oostzee en Noordzee tot aan Atlantische en mediterrane kusten. Eetbare krab. Lege schilden en scharen spoelen vaak aan op de kust.

De **fluwelen zwemkrab** (**1**) is een harige krab met blauwe strepen op de poten. Laatste lid van de achterpoot is plat en afgerond als een peddel. Onder stenen en zeewier in laag-eulitoraal en sublitoraal van Atlantische en mediterrane wateren. Agressief.

Porseleinkrabben

Kleine krabben die drie paar
poten lijken te hebben (het vierde
paar is erg klein). Het **harig porseleinkrabbetje (1)** wordt 4 cm
breed; de scharen zijn breed, plat
en bijna net zo groot als het platte
lichaam; poten en rand lichaam
harig. Leeft langs kusten onder
stenen en in modder, zand of
grind. Het **porseleinkrabbetje (2)**
heeft een rond, glanzend lichaam
van slechts 1 cm breed. Scharen
lang, slank en ongelijk. Leeft
onder stenen en zeewier in laag-
eulitoraal en verder uit de kust.
Beide soorten in Noordzee, Atlantische en mediterrane wateren.

Spinkrabben

hebben een driehoekig lichaam,
lange poten en relatief kleine
scharen. Ze camoufleren zich
door stukjes zeewier, sponzen
enzovoort op hun rugschild te
zetten. Verscheidene soorten in
de Europese wateren, de meeste
meer zuidelijk. De **gewone spin-
krab (3)** wordt van Het Kanaal tot
in de Middellandse Zee in kreeftenvallen gevangen; maximaal 20
cm. De **gewone hooiwagenkrab
(4)** is algemeen langs de Europese kusten; hij leeft onder stenen
en wier. Net als de meeste spin-
krabben is hij klein, ongeveer 1
cm breed.

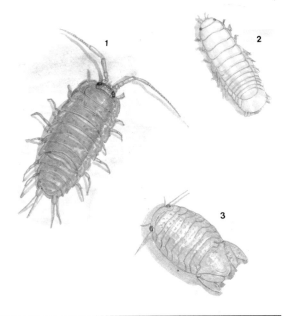

Kleine, platte kreeftachtigen; lichaam met vele gelijke segmenten. Zeven paar poten aan het borststuk. Achterlijfpoten zijn plat en zitten dicht tegen het lichaam. Twee paar antennen, de buitenste groot, de binnenste klein. Grote ogen.

De meeste pissebedden leven van ontbindende zeewieren en dode dieren. Vrouwtjes dragen de jongen in een broedzak onder het lichaam. Op de kust verbergen ze zich op vochtige plekken tot de vloed komt.

Vele soorten langs de kusten en in dieper water van de Oostzee, Noordzee, Atlantische Oceaan en Middellandse Zee. Komt voor op zandstranden, rotskusten, estuaria en zoutmoerassen; zit in rotsspleten, tussen wier, onder stenen.

De **havenpissebed** (**1**) verbergt zich overdag in rotsspleten langs de spatzone en komt 's nachts te voorschijn. Hij wordt 4 cm lang. De **boorpissebed** (**2**) boort in hout langs het laag-eulitoraal *Sphaeroma rugicauda* (**3**) leeft in estuaria en poelen van zoutmoerassen.

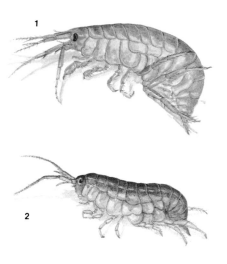

Kleine, zijdelings afgeplatte, vaak gekromde kreeftachtigen. Grote ogen, twee paar antennen. Lichaam opgebouwd uit talrijke identieke segmenten; vijf paar poten aan borststuk, drie paar zwempoten aan achterlichaam, dat eindigt in staartwaaier.

Er zijn twee groepen strandvlooien. **Gammarus**-soorten (**1**) en hun verwanten liggen op hun zij en gebruiken de staartwaaier om zich voort te duwen. De echte **strandvlo** (**2**) en zijn verwanten lopen rechtop en gebruiken hun staartwaaier om te springen.

Er komt een groot aantal soorten strandvlooien voor langs de kusten van de Atlantische Oceaan, Middellandse Zee, Noordzee en Oostzee. Sommige leven in het zand, maar de meeste leven onder stenen of rottend zeewier langs de vloedlijn.

Gammarus-soorten (**1**) zijn overal algemeen, vooral onder stenen, op modder en in het laag-eulitoraal, maar ook in estuaria. De **strandvlo** (**2**) leeft tussen rottend zeewier langs de vloedlijn en op zandstranden.

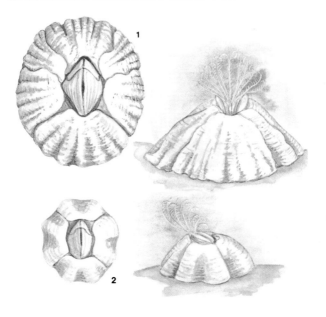

Vulkaanvormige kreeftachtigen; lichaam bedekt met vier of zes kalkplaten. De opening bovenop kan met vier kleinere platen worden afgesloten. Onder water gaat hij open en komen de zes geveerde poten te voorschijn, die hij keer op keer uitstulpt.

Als zeepokken hun poten uitsteken, zijn ze kleine stukjes voedsel aan het verzamelen. De larven komen in de lente vrij in zee, ze zwemmen een tijdje rond en zetten zich dan met hun kop vast op een rots en veranderen in volwassen zeepokken.

Zeepokken bedekken rotsen in het eulitoraal, vooral bij open kusten, waar ze de rotsen grijs laten lijken. Ze komen ook in beschutte baaien voor, maar zijn daar minder overvloedig. Ze zijn langs alle Europese kusten te vinden.

De **gewone zeepok** (1) is algemeen langs de Atlantische kusten. Hij heeft zes platen en een ruitvormige opening. De vorm van de opening verschilt per soort. De **Nieuwzeelandse zeepok** (2) heeft vier platen en is algemeen op beschutte rotsen.

Platte, ovale weekdieren met op hun rug acht platen waarvan de randen in een vlezige schelprand steken. Aan de voorkant zit een kop, achter een anus en onder een voet. Aan weerszijden hebben ze kieuwen in een groef tussen schelprand en voet.

Keverslakken houden zich stevig vast aan rotsen en kruipen langzaam rond terwijl ze met hun rasptong algen grazen. Ze keren steeds naar dezelfde plek op de rots terug. Ze rollen zich op als pissebedden als ze van hun rots worden geplukt.

Er komen vele soorten voor op rotskusten en uit de kust; van de noordelijke Atlantische Oceaan, de zuidelijke Oostzee, en de Noordzee tot in de Middellandse Zee. Onopvallende dieren, die vaak in rotsspleten of onder stenen zitten.

De **asgrauwe keverslak** (**1**) leeft langs veel kusten. De rand is met doorns bezet; kleur dofrood tot grijsbruin of groen. **Tonicella rubra** (**2**) leeft langs het laag-eulitoraal en dieper; hij heeft een korrelige rand en glanzende platen.

Patella vulgaris   tot **7 cm** in doorsnede

Een slak met een dikke, geribbelde, kegelvormige schelp. De top zit net niet in het midden. Kleur grijzig tot bruinig. Onder de schelp is de sterke voet te zien met aan de voorkant kop en tentakels. De mond heeft een rasptong.

Schaalhoorns klampen zich stevig aan hun rots vast als ze bij eb droogvallen. Ze keren steeds naar dezelfde plek terug. Moeilijk los te wrikken. Bij hoogwater kruipen ze rond en foerageren op verse algen op zeewier en rotsen.

Komt voor op rotsen in hoog- en midden-eulitoraal. Noordzee en Atlantische kusten van Europa tot aan Het Kanaal. In de Middellandse Zee leeft een verwante soort.

Er komen ook andere soorten schaalhoorns voor in Europa. De **sleutelgat-schaalhoorn** (**1**) heeft een opening in de top. Hij wordt 4 cm lang en leeft op rotsen van het laag-eulitoraal tot een diepte van 20 m in de Noordzee en de Atlantische Oceaan.

ALIKRUIKEN

tot **3 cm** lang

Littorinidae

Slakken met een sterke, (gewoonlijk) kegelvormige schelp met slechts enkele windingen. De opening is rond en bij levende dieren afgesloten met een hoornig operculum. Het lichaam heeft een sterke voet en de kop heeft tentakels.

De sterke schelp beschermt het dier tegen de ruwste zee. Ze kunnen op de meest open kusten leven; de schelpen kunnen met de golven mee rollen zonder beschadigingen op te lopen. Ze houden zich niet aan de rotsen vast.

Algemeen langs rotsachtige kusten en in estuaria in de spatzone en lager in rotsspleten, tussen zeewier en in poelen. Oostzee, Noordzee, Atlantische Oceaan, Middellandse Zee. De gewone alikruik is de grootste soort en wordt commercieel gevangen.

De **gewone alikruik** (**1**), de **ruwe alikruik** (**2**), de **kleine alikruik** (**3**) en de **stompe alikruik** (**4**) leven op rotskusten. De kleine alikruik zit in rotsspleten in de spatzone. De stompe alikruik is heldergeel, bruin of zwart.

Slakken met een sterke, gewonden, kegelvormige schelp met vlakke onderzijde. Bij versleten exemplaren is de onderliggende parelmoerlaag zichtbaar. De opening is rond en bij levende dieren afgesloten met een operculum.

In rotspoelen of bij hoogwater komen de dieren te voorschijn uit hun schelp en kunnen we de twee tentakels op de kop en twee tentakels aan de zijkant van de voet zien. Ze grazen net als schaalhoorns op zeewieren en rotsen.

Komt voor op rotsige kusten van het midden-eulitoraal tot het sublitoraal tot 150 m diep. Er komen verscheidene soorten voor in de Atlantische en Mediterrane wateren en in de Noordzee; elke soort heeft zijn eigen verspreidingsgebied en getijzone.

De **dikke tolhoorn** (**1**) is de grootste soort, hij leeft van het laag-eulitoraal tot 100 m diep in veel Europese wateren. De **grote tolhoorn** (**2**) leeft in poelen en onder zeewier in midden- en laag-eulitoraal. Noordzee, Atlantische Oceaan.

WULK

tot **12 cm** lang

Buccinum undatum

1

2

Schelp dik en geribbeld met puntige top. Opening ovaal, eindigend in kort sifonkanaal en afgesloten door hoornig operculum. Grote voet en kop met tentakels; de sifon wordt rechtop gehouden en steekt naar buiten door het sifonkanaal.

Aaseter. Wulken ploegen door modder en zand terwijl ze met hun sifon water opzuigen om te ademen en om de geur van dode dieren op te vangen. Legt de eitjes in sponsachtige eischalen. Lege **eischalen** (**1**) spoelen vaak aan.

Komt voor in modder- en zandbodems in laag-eulitoraal en lager tot 1200 m diep. Westelijke Oostzee, Noordzee, Atlantische Oceaan. Eetbaar. In een lege wulk kunt u de zee 'horen'; de schelpen spoelen vaak aan, heremiet-kreeften wonen er graag in.

De **purperslak** (**2**) is kleiner (tot 2,5 cm). Hij leeft op Atlantische kusten en Noordzeekusten tussen zeepokken en mossels, waarmee hij zich voedt. Hij boort een gat in de schelp met zijn zaagtong. In de Middellandse Zee leven andere soorten.

ANDERE BUIKPOTIGEN

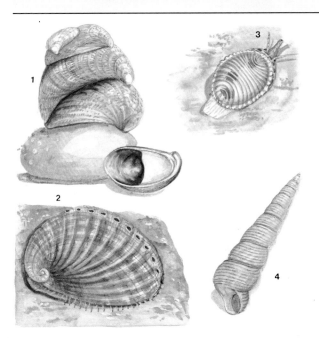

Muiltje of slipper (1)
Heeft een schelp als een bootje met een lage, gewonden top en een wit plaatje aan de onderkant. Leeft in ketens in ondiep kustwater van de Atlantische Oceaan en de Noordzee. Geïntroduceerd vanuit Noord-Amerika en nu een plaag op oesterbanken. Schelpen spoelen vaak aan.

Groene zeeoor (2)
Oorvormige, platte schelp met een rij gaatjes; wordt 10 cm lang. Leeft onder stenen en tussen rotsen van het laag-eulitoraal tot uit de kust. Mediterrane en Atlantische kusten tot aan Het Kanaal.

Europese kaurie (3)
Veel kleiner dan de tropische kauries, tot 12 mm lang, maar wel met een glanzende schelp. Bij levende dieren is de schelp voor een groot deel met vlees bedekt. Van rotsige kusten tot uit de kust; Middellandse Zee en Atlantische Oceaan.

Penhoorn (4)
Smalle, spitstoelopende schelp, 6 cm lang. Spiraalvormige ribbels. Leeft in grote troepen in modder en zand uit de kust. Lege schelpen spoelen vaak aan. Noordzee, Atlantische Oceaan, Middellandse Zee. Veel vergelijkbare soorten in Europese wateren, zijn echter niet verwant.

ZEENAAKTSLAKKEN
tot **20 cm**

Nudibranchia

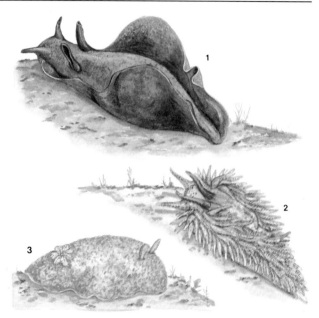

Net als de landnaaktslakken hebben deze slakken geen huis. Ze zijn min of meer afgeplat en ze verliezen buiten het water hun vorm. Het zijn vaak opvallende dieren met heldere kleuren. De kieuwen zitten op de rug, de kop heeft vier tentakels.

Zeenaaktslakken kruipen tussen wieren of rotsen waar andere dieren op zitten. Sommige soorten kunnen zwemmen. Sommige voeden zich door op zeewier te grazen; andere zijn vleeseters en voeden zich met vliescelpoliepen, zeeanemonen en sponzen.

Er komen veel soorten voor in de Europese wateren. De meeste leven uit de kust want ze kunnen buiten het water niet overleven. Vele soorten trekken 's zomers naar de kust om te paaien in poelen of onder rotsen; daarna sterven ze.

De **zeehaas** (**1**) leeft tussen wier; hij scheidt een paars slijm af bij verstoring. De **vlokkige zeenaaktslak** (**2**) leeft onder stenen en rotsen langs de kust. De **zeecitroen** (**3**) leeft in rotspoelen of uit de kust op rotsbodems. Noordzee en Atlantische Oceaan.

Een tweekleppig weekdier met een gladde, gebogen, blauwzwarte schelp, die aan één zijde puntig is. De twee kleppen zijn identiek en vaak bezet met zeepokken. De mantelrand heeft franjes en is zichtbaar langs de rand als de mossel open is.

Zit vast op rotsen, stenen en pieren in dichte kolonies. Gebruikt stevige draden (de byssus) om zich mee vast te houden. Voedt zich door kleine stukjes voedsel uit het water te filteren dat hij naar binnen zuigt.

Zeer algemeen van het midden-eulitoraal tot 10 m diep water. Langs zand-, rots- en modderkusten, in estuaria. Vrijwel in alle Europese wateren. Eetbaar. Wordt in het wild verzameld op onvervuilde plekken. Wordt ook gekweekt op mosselbanken.

Zuidelijk van Engeland leven verwante soorten. De **paardenmossel** (**1**) leeft in diepe rotspoelen en tussen zeewier van het laag-eulitoraal tot 150 m diep in de Noordzee en in de Atlantische Oceaan tot de Golf van Biskaje. 8-14 cm lang, eetbaar.

OESTERS
tot **18 cm**

Ostreidae

Oesters hebben een dikke, onregelmatig ovale of ronde schelp en een gelaagd voorkomen en onregelmatige, golvende groeilijnen. De onderklep is afgeplat en valt in de diepere bovenklep. In de schelp ligt het lichaam omringd door vier donkere kieuwen.

Oesters leven in dichte oesterbedden (natuurlijk of gekweekt) op modder of slik, vaak in estuaria en inhammen. Ze zetten zichzelf vast aan rotsen, stenen, zeewier enzovoort met de linkerklep.

De **eetbare oester** (**1**) komt voor in de Noordzee, Atlantische Oceaan en Middellandse Zee. De **Portugese oester** (**2**) leeft langs de Spaanse kusten en in de Golf van Biskaje; hij wordt gekweekt rond de Britse eilanden. Beide zijn eetbaar.

Het **paardenzadel** (**3**) is niet verwant aan de oesters. Hij komt voor in het laag-eulitoraal en in ondiepe Atlantische en mediterrane wateren. Hij heeft een rond gat vooraan in de onderklep. Lege schelpen spoelen vaak aan. Maximaal 5 cm.

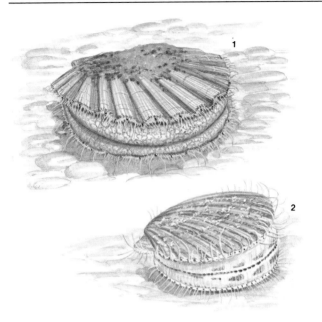

Mantels zijn opvallende tweekleppigen; hun afgeronde, geribbelde schelpen hebben 'oren' aan weerszijden van het slot. Het slot heeft geen tanden. De mantelrand is zichtbaar als de schelp open is; de mantelrand draagt vele tentakels en ogen.

Mantels kunnen zwemmen, wat ongewoon is voor tweekleppigen; ze slaan met hun kleppen en bewegen zich schokkend voort. Ze zwemmen om predatoren te vermijden, maar ze trekken ook over grote afstanden.

Komt voor op zand- of modderbodems in de Noordzee, Atlantische Oceaan en Middellandse Zee van het sublitoraal tot diep water. Ze graven zich niet in, maar liggen op de bodem. Beide afgebeelde soorten zijn eetbaar en commercieel van belang.

In Europa leven meerdere soorten mantels. De **grote mantel** (**1**) heeft een platte en een bolle klep; de oren zijn symmetrisch. Het is de grootste Europese mantel. De **bonte mantel** (**2**) heeft twee bolle kleppen en asymmetrische oren. Hij wordt 9 mm.

KOKKEL

tot **5 cm** in doorsnede

Cardium edule

Vrijwel bolvormige tweekleppige; de kleppen zijn identiek en hebben geprononceerde ribbels. De levende dieren steken twee korte sifons met franjes uit de schelp. De grote, witte voet wordt bij gesloten toestand binnen de schelp gevouwen.

Leeft vlak onder de oppervlakte begraven in schoon zand of modder, waardoor zeevogels erbij kunnen. Voedt zich door water op te zuigen door de onderste sifon, voedseldeeltjes eruit te filteren en het via de bovenste sifon te lozen.

Komt voor van het midden-eulitoraal tot ondiep water uit de kust; vooral bij snelle getijdenstromen. Algemeen langs zandstranden. Noordzee, Atlantische Oceaan, Middellandse Zee. Vaak in enorme aantallen. Wordt ook gekweekt.

De **gedoornde hartschelp** (**1**) heeft ribbels met doorns en een roze voet. Hij leeft in zand en zanderig modder uit de kust van Noordzee, Atlantische Oceaan en Middellandse Zee. Schelpen spoelen vaak aan. Er leven nog meer soorten kokkels in Europa.

ANDERE TWEEKLEPPIGEN

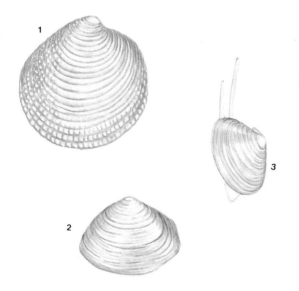

Venusschelpen
hebben stevige, ronde of ovale schelpen, die vaak aanspoelen. Kleppen identiek, toppen naar binnen gebogen en naar voren gericht. Grote voet en twee korte sifons; graaft zich in in zand op en langs de kust. Vele soorten in de Europese wateren. De **wrattige venusschelp** (**1**) wordt in Frankrijk gegeten.

Strandschelpen (**2**)
hebben kleppen in de vorm van een gelijkzijdige driehoek. Kleppen identiek, top wijst naar voren, schelp sluit van achteren vaak niet. Schelpen spoelen vaak aan. Levende dieren hebben twee sifons in een hoornige schede en een wigvormige, witte voet. Verscheidene soorten in de Europese wateren. Graven zich in in zand en grind.

Platschelpen (**3**)
hebben een gladde, platte schelp in allerlei vormen, maar altijd met een groot, uitwendig ligament. Er leven verscheidene soorten in de Europese wateren in zand of modder van het laag-eulitoraal tot in dieper water uit de kust. Ze hebben twee erg lange sifons; de ene tast langs het oppervlak naar voedsel. Schelpen spoelen vaak aan op zandstranden met de kleppen nog verbonden.

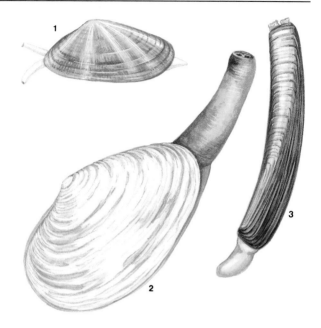

Zaagjes (1)

hebben een afgeplatte, langgerekte schelp die erg glad tot gepolijst oogt. Schelp niet symmetrisch; voorzijde groter dan achterzijde. Manier van leven als die van platschelpen. Vele soorten in de Europese wateren.

Gapers

hebben grote, ovale schelpen (tot 15 cm lang) die aan de achterkant een gapend gat openlaten waar twee enorme, vergroeide sifons doorheen steken. Ze leven verticaal ingegraven in stug zand of modder met de sifon uitstekend om plankton te verzamelen. Noordzee, Atlantische Oceaan,

Middellandse Zee. De **strandgaper** (**2**) leeft in de Noordzee en Atlantische Oceaan; wordt gegeten in Noord-Amerika.

Zwaardscheden

hebben een lange schelp (tot 20 cm lang) die aan beide uiteinden open is. Korte sifons steken aan de achterkant uit; krachtige voet aan de voorkant. Leven verticaal ingegraven in zand of modder van laag-eulitoraal tot uit de kust. Verscheiden soorten in de Europese wateren. De **kleine zwaardschede** (**3**) leeft in schoon zand langs de laagwaterlijn.

BORENDE TWEEKLEPPIGEN

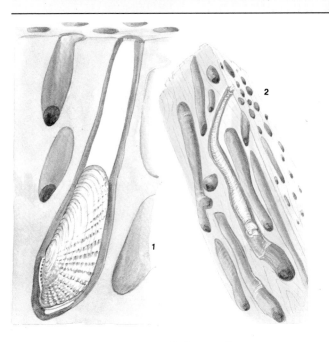

Boormosselen

boren door steen of klei; ze kunnen een rots in gatenkaas veranderen. De schelp is hard en heeft fijne tanden langs de rand, die voor het boren worden gebruikt. De schelp is open aan de voorkant; de voet steekt door het gat naar buiten en houdt zich vast in de tunnel. Er is geen slot tussen de kleppen, enkel een eenvoudig kogelgewricht met extra platen rondom. Lange sifons vergroeid en half bedekt met een hoornige schede. De **witte boormossel** (**1**) leeft in schalie, kalksteen of hout in het laag-eulitoraal; van Ierland tot de Middellandse Zee.

Paalwormen (**2**)

boren in hout van oude pieren en boten. Hun schelp is sterk gereduceerd; hij dient als boor en bevindt zich aan het einde van het wormachtige lichaam. Ze boren lange tunnels in hout waarbij ze het hout tot zaagsel vermalen door een roterende beweging met de kleppen. Het gat wordt bekleed met een kalkachtige substantie die het dier uitscheidt. Het gat is aan een kant open, maar kan met een paar kleppen worden afgesloten. In de Europese wateren leven verschillende soorten.

Torpedovormige weekdieren met driehoekige vinnen. Rond de mond acht tentakels bezet met zuignappen, en twee langere armen met enkel aan de toppen zuignappen. De schelp is gereduceerd tot een inwendige 'pen'. Mond heeft een krachtige snavel.

Inktvissen jagen op kleinere vis. Ze ontlopen predatoren (tonijn, andere vis, potvissen) door achteruit te schieten en gelijktijdig zwarte 'inkt' af te scheiden die de aanvaller verwart. Inktvis kan in een mum van tijd van kleur verschieten.

Zwemt in scholen in de open zee vanaf de Scandinavische kusten door de Noordzee en de Atlantische Oceaan tot in de Middellandse Zee. Veel soorten zijn eetbaar. Er wordt commercieel op gevist in de Noordzee en Middellandse Zee.

Er komen veel soorten voor in de Europese wateren. Ze hebben alle dezelfde vorm. De mannetjes van de **pijlinktvis** (afgebeeld) worden 60 cm lang, de vrouwtjes 35 cm. Ze leven in open water van de Noordzee en Atlantische Oceaan.

Weekdier met breed, schildvormige lichaam en golvende vinnen. Meestal zwart-wit gestreept, maar kleurveranderingen golven over het lichaam. Acht tentakels met zuignappen en twee lange armen voor kop. Schelp gereduceerd tot inwendig 'meerschuim'.

Zeekat verbergt zich overdag door zich deels in te graven in zand; 's nachts jaagt hij op krab, garnalen en vis. Zwemt snel vooruit om prooi te vangen of schiet achteruit om aanvallers te ontlopen. Scheidt ook inkt af om predatoren te verwarren.

Zeekat komt voor in estuaria, zanderige baaien en zeegrasvelden langs de kusten van de Noordzee, Atlantische Oceaan en Middellandse Zee. De schelp (meerschuim) wordt in dierenwinkels verkocht; het spoelt ook wel aan.

De dwerginktvis is de kleinste zeekat van Europa (2-5 cm lang). Rond lichaam met kleine, flapvormige vinnen opzij. Hij leeft boven zandbodems in het sublitoraal van de Atlantische Oceaan en het Kanaal. Hij neemt de kleur van het zand aan.

OCTOPUS
tot **90 cm**

Octopus vulgaris

Onmiskenbaar weekdier; zakachtig lichaam, twee grote ogen en acht tentakels met een vlies rond de mond. Dubbele rij zuignappen op iedere arm.
Wrattige huid neemt kleur van de achtergrond aan. Mannetjes groter dan
vrouwtjes.

Verstopt zich overdag in zijn hol tussen rotsen. Jaagt 's nachts op krab,
kreeft en vis; kan ook kreeftenvallen plunderen. Bij gevaar schiet hij plotseling achteruit. De vrouwtjes leggen de eieren in rotsspleten en bewaken ze.

Algemeen uit de kust van Het Kanaal tot de Middellandse Zee; af en toe tot
het laag-eulitoraal. In het noordelijk deel van zijn verspreidingsgebied is hij
's zomers algemener. Eetbaar; wordt commercieel bevist in de Middellandse Zee.

De kleine octopus leeft in het sublitoraal van rotskusten van de westelijke
Middellandse Zee tot aan Scandinavië en IJsland. Maximaal 50 cm lang;
heeft één rij zuignappen op de tentakels.

Gravende worm met een glad, zacht, rond lichaam dat dik in het midden is en toeloopt naar kop en staart; kop niet duidelijk herkenbaar. Hij heeft 13 paar rode, geveerde kieuwen aan het middelste deel van het lichaam.

Leeft in een U-vormig hol met een trechtervormige opening voor; bij de opening achter liggen zanderige uitwerpselen. Het hol is bekleed met mucus. Voedt zich door zand door te slikken, het eetbare deel te verteren en zich te ontlasten van de rest.

Komt voor langs zandstranden en wadden van de Oostzee en Noordzee tot de Atlantische Oceaan van het midden-eulitoraal tot het sublitoraal. De uitwerpselen zijn bij laagwater overal langs het strand te zien. Wordt veel als aas gebruikt.

Andouinia tentaculata leeft in holen in modderig zand, grind en onder stenen in het laag-eulitoraal en sublitoraal in de Noordzee en Atlantische Oceaan. Wordt 20 cm lang en heeft rode spiraalsgewijs gedraaide kieuwen aan de meeste segmenten.

Koker vormende worm met een kort borststuk van vijf segmenten en een lang achterlichaam van 300 korte segmenten (meestal verborgen in de koker). Twee identieke kransen geveerde tentakels met banden op kop, elk oprijzend uit een vlezige lob.

Leeft in een gladde koker die bestaat uit modderdeeltjes die met slijm aan elkaar gelijmd zijn. De worm komt bij hoogwater te voorschijn en steekt zijn tentakels uit om voedseldeeltjes op te vangen. Trekt zich bij verstoring snel terug.

Men kan de kokers uit modderig zand of grind zien steken in het laag-eulitoraal en sublitoraal. Noordzee, Atlantische Oceaan, Middellandse Zee.

Een van de vele soorten kokerwormen in Europa. Ze vormen alle een koker en hebben een dubbele krans tentakels. Sommige soorten leven in zand en grind, andere in horizontale kokers onder bruinwieren, weer andere in kokers in rotsspleten.

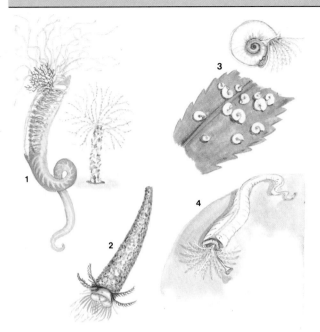

Eupolymnia nebulosa (1)
Koker tot 30 cm lang, maar enkel de bovenste 5 cm steekt uit de bodem; koker bekleed met zand en stukjes schelp. Opening koker verdeeld in filamenten. Heeft kroon van kronkelende tentakels met vertakte, rode kieuwen achter de kop, groot deel Europese wateren.

Pectinariawormen (**2**)
vormen kleine kokers als horentjes van zand. In zand in laag-eulitoraal en sublitoraal; lege kokers spoelen vaak aan. Meeste Europese wateren.

Spirorbiswormen (**3**)
vormen kleine, harde, wittige kokers die opgerold zijn als een slakkenhuis; hoogstens 3 cm in doorsnede. Komt overvloedig voor op rotsen, stenen, schelpen en zeewier van midden- tot laag-eulitoraal. Tentakels komen enkel onder water te voorschijn en worden bij verstoring snel ingetrokken. Noordzee, Atlantische Oceaan, Middellandse Zee.

Pomatoceroswormen (**4**)
vormen onregelmatige stapels harde, wittige kokers met een kiel. Tot 15 cm lang. Op stenen en schelpen in het laag-eulitoraal. Meeste Europese wateren.

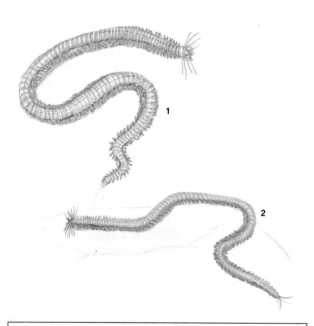

Grote, actieve wormen met een afgeplat lichaam opgebouwd uit vele segmenten met elk een paar borstelige poten aan weerszijden. Kop heeft vier ogen en meerdere antennen. Kan een proboscis met een paar zwarte kaken uit zijn mond steken.

Zeeduizendpoten zijn aaseters die zich met resten van dode dieren en planten voeden. In de paaitijd ontwikkelt het achterlichaam grote peddels, ze komen uit hun hol en gaan zwemmen; ze paaien allemaal tegelijk.

Veel zeeduizendpoten graven zich in in zand of modder, andere kruipen in rotspoelen of tussen zeewier; van midden-eulitoraal tot sublitoraal. Oostzee, Noordzee, Atlantische Oceaan, Middellandse Zee. Wordt vaak verzameld als aas.

De **gewone zeeduizendpoot** (**1**) en de grotere Nereis virens graven zich in in zand. Bladkieuwwormen zijn vergelijkbaar, maar hebben grote, bladvormige peddels en missen kaken. De **groene bladkieuwworm** (**2**) leeft tussen rotsen langs de laagwaterlijn.

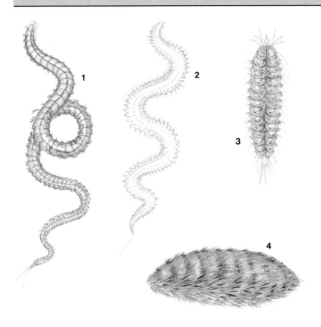

Marphysa sanguinea (1)
wordt ongeveer 30 cm lang. Zijn dikke lichaam heeft bundels rode kieuwen aan elk segment. Geen antennen op de kop. In zand-grindbodems, rotsspleten en tussen wier. Laag-eulitoraal en sublitoraal. Het Kanaal en zuidelijker.

Nephtys hombergi (2)
wordt 25 cm lang. Het lichaam heeft een parelachtige glans; de staart eindigt in een lange draad. De kleine kop lijkt geen ogen of antennen te hebben. Actieve worm die in zand of grind in midden- of laag-eulitoraal leeft in de Noordzee.

Schubworm (3)
Een kleine, afgeplatte worm; gewoonlijk tot 3 cm lang en met twee rijen overlappende, niervormige schubben op de rug. Komt voor onder stenen en zeewieren van het laag-eulitoraal. Een van meerdere soorten schubwormen uit de Europese wateren.

Zeemuis (4)
Een andere soort schubworm; bij deze soort zijn de schubben verborgen onder fijne, grijze haren. De flanken zijn bedekt met iriserende groene en gouden haren. Komt voor op zandbodems in sublitoraal water. Meeste Europese wateren.

PORTUGEES OORLOGSSCHIP

drijfklok tot **30 cm**   Physalia physalis

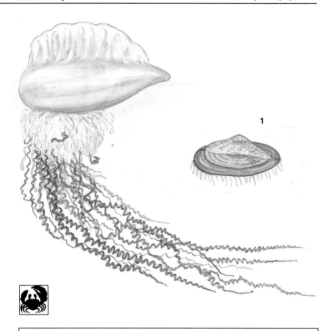

1

Verwant aan de kwal, maar heeft een met gas gevulde drijfklok met een spitse kant; de drijfklok is lichtblauw, soms met een zweem roze en heeft een opblaasbare kam. Een massa tentakels hangt onder de drijfklok; er zitten sterke netelcellen tussen.

Dit organisme is niet één dier, maar een complexe kolonie. In de tentakels leven allerlei soorten individuele dieren, sommige zijn gespecialiseerd in voedsel opnemen, andere in verdediging (zij hebben netelcellen), weer andere in voortplanting.

Opvallend dier. Drijft in de Middellandse Zee en Atlantische Oceaan; spoelt soms aan op de westkusten tot aan de Britse eilanden. De giftige tentakels kunnen tot 25 m achter de drijfklok slepen en zijn gevaarlijk voor zwemmers.

Het **bezaantje** (**1**) heeft een platte, blauwige drijfklok met een stijf, diagonaal zeil en tentakels langs de rand. Hij wordt niet meer dan 12 cm in doorsnede. Drijft in open zee in de Atlantische Oceaan en Middellandse Zee, maar spoelt soms aan.

Kwallen hebben een zacht, parapluvormig lichaam met een massa tentakels die van de rand hangen. De mond bevindt zich aan de onderzijde en wordt omgeven door vier lange, hangende, rafelige flappen (mondtentakels). Alle tentakels bevatten netelcellen.

Kwallen zwemmen door hun paraplu afwisselend te openen en te sluiten; de tentakels slepen erachteraan. Voedt zich met kleine diertjes uit het plankton. Jonge vis schuilt vaak onder de paraplu.

In de Europese wateren komen verscheidene soorten voor. Ze drijven of zwemmen in open water, maar kunnen dood of stervend aanspoelen. Hun aantallen variëren enorm van jaar tot jaar. Kwallen komen in alle zeeën en oceanen voor.

De **oorkwal** (**1**) is vaak in dokken en havens te zien. Zijn netelcellen steken maar zelden door de menselijke huid heen. De **bloemkoolkwal** (**2**) is nog onschuldiger want hij heeft geen tentakels. De grote **kompaskwal** (**3**) heeft wel netelcellen.

PAARDENANEMOON

tot **7 cm** in doorsnede

Actinia equina

1

Gladde rode, bruine of groene zuil 'bekroond' met vijf of zes cirkels kleverig aanvoelende tentakels rond een centrale mond. Bij elkaar ongeveer 200 tentakels. Rond de tentakels zit een ring van blauwe vlekken.

Deze zeeanemoon trekt zich in tot een geleiachtige 'pudding' zolang het laagwater is. De tentakels bevatten netelcellen die het dier gebruikt om prooi te vangen (garnalen, vis enzovoort), maar ook om mogelijke aanvallers (en mensen) te steken.

Zet zich vast in rotsspleten, op overhangende rotsen en golfbrekers, in poelen zolang het licht niet te fel is en hij niet uitdroogt. Midden-eulitoraal tot in sublitoraal langs allerlei soorten kust. Meeste Europese wateren.

De **zeedahlia** (1) is een brede, gedrongen zeeanemoon (tot 12 cm lang) met korte, gebandeerde tentakels; zand en stukjes schelp kleven aan de wratten op de zuil. Midden-eulitoraal tot in sublitoraal in rotsspleten en poelen, onder wier en stenen.

Zeeanjelier (1)

Grote zeeanemoon, tot 12 cm hoog. Zuil slijmerig, met lobben aan de top en fijne tentakels. De kleur varieert van roze tot bruin of wit. Onder rotsen en golfbrekers, laag-eulitoraal en sublitoraal. Meeste Europese wateren.

Wasroos (2)

Een gedrongen, slappe zeeanemoon die zijn tentakels niet kan intrekken. Meestal groen of kaki met ongeveer 100 kronkelende tentakels met een roze punt. In ondiepe rotspoelen of op bruinwieren, midden-eulitoraal tot in sublitoraal. Middellandse Zee tot westkust Schotland.

Trompetanemoon (3)

Trompetvormige zuil tot 12 cm hoog. Tot 700 korte tentakels. Kleur variabel; bruin, roze, crème. Laag-eulitoraal in rotsspleten en poelen of op modderige grindbodems met de tentakels aan het wateroppervlak. Middellandse Zee tot westkust Schotland.

Edelsteenkoraal (4)

Kleine zeeanemoon, slechts 3 cm in doorsnede; wratten op zuil niet kleverig, 50 stijve, gebandeerde tentakels. In rotsspleten, langs randen rotspoelen; midden- tot laag-eulitoraal. Middellandse Zee tot Isle of Man.

ZACHTE KORALEN

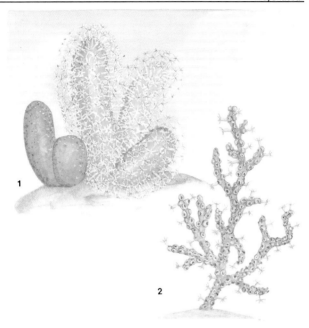

Dodemansduim (1)
In koloniën levend dier dat een tapijt van taaie, ronde 'vingers' vormt, die 25 cm hoog kunnen worden. De kleur varieert van wit tot geel, roze of rood. In de taaie buitenkant huist een groot aantal individuele dieren (poliepen), die elk als een kleine zeeanemoon zijn. Onder water komen de poliepen te voorschijn uit hun holletjes; elke poliep heeft acht geveerde tentakels. Laag-eulitoraal tot sublitoraal op scheepswrakken, rotsen, pieren, bruinwier; vaak in sterke zeestromingen. Golf van Biskaje en noordelijker in Atlantische Oceaan en Noordzee.

Hoornkoraal (2)
Ook een in koloniën levend dier; heeft de vorm van een onregelmatig vertakte waaier; wordt 30 cm hoog. De vertakkingen bevinden zich bijna altijd in één vlak. Meestal roze, soms wit. Kleine poliepjes met elk acht tentakels komen te voorschijn uit de knobbels die zich over de hele waaier bevinden. Sublitorale wateren, meestal met de waaier op de stroom gericht zodat de poliepen plankton kunnen filteren. Op rotsen van de Middellandse Zee tot Het Kanaal.

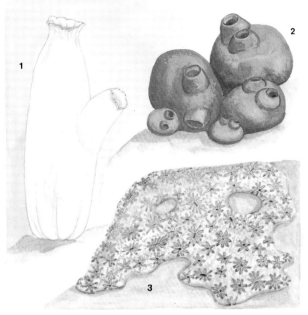

Eenvoudige, zakvormige dieren die alleen of in koloniën leven. Elke 'zak' heeft twee openingen of sifons. Er komen veel soorten voor in de Europese wateren.

Cilindervormige zakpijp (1)

vormt enkele, zachte, halfdoorzichtige cilinders met twee sifons, de ene aan de top, de andere op de zijkant. Hij haalt een lengte van 13 cm als hij zich uitstrekt, maar kan zich ook intrekken bij gevaar. Stoot een stroom water uit als er in geknepen wordt. Langs rotswanden en in rotsspleten, op kademuren en pieren. Laag-eulitoraal en sublitoraal. Meeste Europese wateren.

Kruisbeszakpijp (2)

Taai en compact, slechts 2 cm hoog. Meestal baksteenrood gekleurd. Komt vaak in grote clusters voor waarbij de basis deels is vergroeid. Laag-eulitoraal en sublitoraal in rotsspleten en op stelen van bruinwier. Noordzee, Atlantische Oceaan noordelijk van Het Kanaal.

Gesterde geleikorst (3)

Leeft in koloniën; stervormige clusters individuen liggen ingebed in een dikke, gelatineuze laag. Midden-eulitoraal tot in sublitoraal; bedekt rotsen, stenen en zeewieren. Groot deel Europese wateren.

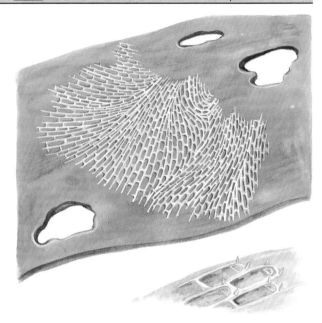

Vormt een platte, witte structuur als een honingraat met een onregelmatige vorm op bruinwieren en scheepswrakken. Opgebouwd uit vele tere, rechthoekige compartimenten. Op twee hoeken van elk compartiment bevindt zich een witte, stompe doorn.

Onder water blijkt elk compartiment een diertje te bevatten. Het steekt een krans van tentakels uit om voedseldeeltjes te vangen. Zeenaakslakken en zeespinnen grazen vaak op koloniën van deze dieren.

Komt overvloedig voor op bruinwier en wrakken van het midden-eulitoraal tot in het sublitoraal. Leeft langs de kusten van de Noordzee, Atlantische Oceaan en de Middellandse Zee.

Er komen meer soorten vliescelpoliepen op zeewieren voor. Andere soorten lijken op gelatineuze sponzen, gelobde bladeren of koralen. Alle soorten hebben dezelfde structuur van compartimenten. Ze leven zowel op rotsen als zeewieren.

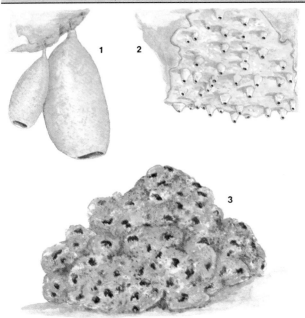

Sponzen zijn eenvoudige dieren; ze hebben gewoonlijk een groot aantal kleine openingen (waardoor water naar binnen wordt gezogen) en een of meerdere grotere openingen (waardoor het water weer wordt uitgespuugd). Er leeft een groot aantal soorten in het laag-eulitoraal en sublitoraal van de Europese kusten.

Kruiksponzen lijken op een vaas; ze leven alleen of vormen verbonden groepen. Groepen van de spons **Grantia compressa (1)** hangen van rotsen, vaak tussen roodwieren in het laageulitoraal. Noordzeekusten, Atlantische en mediterrane kusten. **Korstsponzen** vormen taaie kor-

sten op rotsen, in rotsspleten, op bruinwieren, schelpen enzovoort. Soorten kunnen rood, oranje, groen, geel, blauw of grijs zijn. Ze vormen plekjes of ze spreiden zich in onregelmatige vormen uit, zoals de **broodspons (2)**, die een algemene soort is in het laag-eulitoraal en sublitoraal van de Europese wateren.

De **badspons (3)** komt voor in ondiep water in de Middellandse Zee. Zijn gereinigde skelet wordt verkocht als badspons.

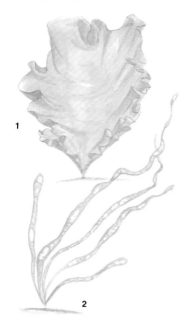

Planten die bladeren lijken te
bezitten. Ze groeien meestal
hoog op de kust of op plaatsen
waar een rivier in zee stroomt.
Door hun heldergroene kleur zijn
ze gemakkelijk van andere wieren
te onderscheiden.

Zeesla (1)
Heeft wel wat weg van zachte,
doorschijnende sla; bezit bosjes
onregelmatig gelobde thalli van
12-25 cm lang die op een korte
steel groeien. Oude thalli kunnen
witte randen krijgen. Groeit op
rotsen en stenen (niet in poelen),
vooral bij zoet water, op alle
niveaus van de kust.

Echt darmwier (2)
vormt onvertakte, holle groene
buizen tot 30 cm lang, vaak deels
gevuld met lucht en gebleekt
door de zon. Vooral op plaatsen
waar zoet water in de zee
stroomt, in zoutmoerassen, estuaria, op slikken en in poelen van
het hoog-eulitoraal. Meeste Europese wateren.

Rotswier (3)
vormt veelvertakte, draderige,
donkergroene toeven tot 12 cm
lang. Groeit op rotsen van het
midden-eulitoraal tot in het sublitoraal, vooral onder wrakken.
Meeste Europese wateren.

Laminariaceae

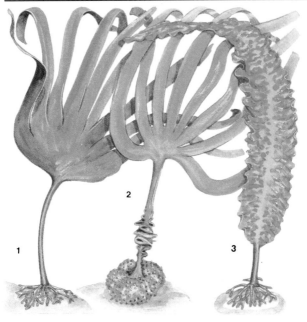

Bruinwieren hebben grote, leerachtige thalli van 1 m of meer; ze zitten met dikke stelen en een wortelachtige structuur vast aan rotsen. Ze groeien in het laag-eulitoraal en sublitoraal.

Vingerwier (1)
heeft een soepele, gladde steel en een breed blad dat 2 m lang kan worden en verdeeld is in vingers. Het hechtorgaan is sterk vertakt, de 'wortels' houden zich aan de rots vast. Overvloedig langs het laag-eulitoraal in Europese wateren ten noorden van Het Kanaal. Laminaria hyperborea is net zo algemeen, onderscheidt zich van vingerwier door de stijve, ruwe steel.

Saccorhiza polyschides (2)
heeft een bolvormig, wrattig, hol hechtorgaan. Steel plat met golvende rand aan de basis. Blad massief, waaiervormig met lange, platte vingers, tot 2 m lang. Groeit tussen andere bruinwieren van het laagste laag-eulitoraal tot water 20 m diep. Noordelijke Europese wateren tot Het Kanaal.

Suikerwier (3)
heeft onvertakte thalli met golvende randen en een lengte van 3 m of meer. Zit vast op rotsen en stenen op modder- of zandbodems van het laag-eulitoraal tot water 20 m diep. Noordzee en Atlantische Oceaan tot Het Kanaal. Eetbaar.

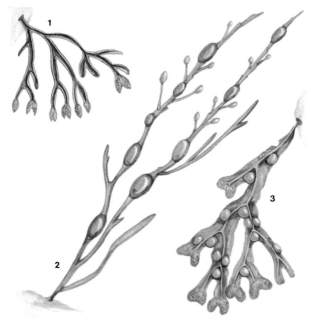

Bruinwieren met taaie, leerachtige, lintvormige, vertakte bladeren en een schijfvormig hechtorgaan. Ze groeien in duidelijk afgescheiden zones op rotsen in het hoog- en midden-eulitoraal.

Groefwier (1)
vormt vertakte, gegroefde thalli tot 15 cm lang, vaak met gezwollen, korrelige punten; gedroogd zijn ze bros en zwart. Algemeen op rotsen van het hoog-eulitoraal en de spatzone; Noordzee, Atlantische Oceaan.

Knotswier (2)
Vormt sterk vertakte, platte thalli tot 1 m lang met eivormige blazen in het midden van het blad; geen hoofdnerf; eerder olijfgroen dan bruin, wordt na drogen groenzwart. Enkel algemeen langs beschutte rotskusten en in estuaria; bedekt daar rotsen van het hoog- en midden-eulitoraal. Noordzee en Atlantische Oceaan.

Blaaswier (3)
heeft vertakte thalli tot 90 cm lang met golvende randen; duidelijke hoofdnerf met blazen (vaak in paren) ter weerszijden van de hoofdnerf. Toppen van thalli vaak gezwollen en korrelig. Overvloedig op rotskusten in midden-eulitoraal. Noordzee, Atlantische Oceaan.

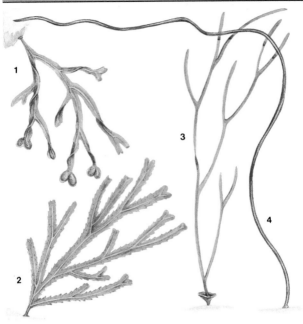

Kleine zee-eik (1)
heeft brede, platte, vertakte thalli
tot 40 cm lang. Duidelijke hoofdnerf, geen blazen; thalli groeien
gedraaid. Toppen soms gezwollen en korrelig. Groeit een zone
lager dan groefwier langs alle
behalve de al te open kusten van
Noordzee en Atlantische Oceaan.

Gezaagde zee-eik (2)
heeft brede, platte, veel vertakte
thalli tot 60 cm lang. Randen van
de thallus zijn gezaagd; duidelijke hoofdnerf, geen blazen. Algemeen op rotsen van het lage midden-eulitoraal, net boven de
vingerwieren. Oostzee, Noordzee, Atlantische Oceaan.

Riemwier (3)
Het hechtorgaan heeft de vorm
van een paddestoel met een
ingedeukte hoed; uit het midden
hiervan groeien riemvormige, vertakte thalli van meestal 1 m lang.
Groeit in rotspoelen, op rotsen
van het laag-eulitoraal en het sublitoraal; Atlantische kusten en het
Kanaal.

Veterwier (4)
heeft lange, slijmerige, onvertakte
'veters' tot 6 m lang. Jonge thalli
zitten op rotsen van het laag-eulitoraal tot 20 m diep water, ze
scheuren 's zomers echter vaak
los en spoelen op het strand aan
of drijven op het water. Oostzee,
Noordzee en Atlantische Oceaan.

ROODWIEREN

Rhodophyceae

Rode of roodbruine zeewieren, zeer variabel van vorm. Ze kunnen niet tegen uitdrogen of fel licht. Langs de kust groeien ze in poelen of in het laag-eulitoraal; vaak onder wrakken en bruinwieren.

Rhodymenia palmata (1)

heeft taaie, donkerrode thalli in de vorm van bladeren, vaak met lobben aan de basis. Groeit op bruinwieren en rotsen van midden-eulitoraal tot in het sublitoraal. Noordzee, Atlantische Oceaan. Eetbaar.

Navelwier (2)

heeft membraanachtige, roodpaarse thalli tot 20 cm lang.

Groeit op rotsen en stenen van open kusten en stranden. Meeste Europese wateren. Eetbaar.

Iers mos (3)

zeer variabel van vorm. Gewoonlijk met brede, platte, sterk vertakte donkerrode thalli. Zit vast op rotsen van het midden-eulitoraal tot in sublitoraal. Noordzee, Atlantische Oceaan. Eetbaar.

Delesseria sanguinea (4)

Bladachtige thalli met een dieproze kleur en golvende randen, tot 25 cm lang. Groeit op rotsen en vingerwieren in diepe, schaduwrijke poelen in het laag-eulitoraal en in het sublitoraal. Noordzee, Atlantische Oceaan.

Rhodophyceae

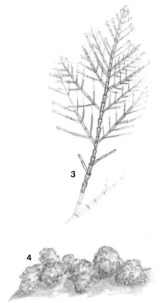

Lomentaria articulata (1)

heeft holle, gelatineuze thalli als een streng kralen met vertakkingen waar de kralen elkaar raken. Groeit op rotsen en andere zeewieren in poelen. Midden- en laag-eulitoraal. Noordzee, Atlantische Oceaan.

Peperwier (2)

heeft taaie, vertakte thalli met vingervormige insnijdingen aan zijkanten en top. Geelgroen tot roodpaars gekleurd, wordt groter en donkerder op beschutte plaatsen (tot 20 cm lang). Groeit op rotsen en in poelen van midden-eulitoraal tot sublitoraal. Meeste Europese wateren. Opvallende smaak en reuk.

Koraalwier (3)

Stijf en bros; dofroze of -paarse, vertakte thalli tot 12 cm lang. Vormt randen net onder de waterlijn van rotspoelen. Zeer algemeen langs midden-eulitoraal van Noordzee en Atlantische Oceaan.

Lithothamnion-soorten (4)

vormen harde, roze, knobbelige korsten op rotsen in poelen van het midden- en laag-eulitoraal van de Noordzee, Atlantische Oceaan en Middellandse Zee. Lithophyllumsoorten zijn vergelijkbaar, maar vormen platte korsten. Beide geslachten kunnen grote oppervlakten bedekken; nauwelijks herkenbaar als zeewier.

INDEX

Vergeet niet de hokjes aan te kruisen bij uw ontdekkingen.

Glossarium

Continentaal plat. Onderwaterplateau dat de continenten omringt. Het loopt geleidelijk af naar een diepte van 200 m; daarna komt de continentale helling, die steiler afloopt naar de diepzee. Het continentaal plat beslaat de Oostzee en de Noordzee en omringt de Britse eilanden; langs de Atlantische kust tot aan de Golf van Biskaje is het plat slechts 10-50 km breed, net als in de Middellandse Zee.

Hydroïedpoliep. Klein kolonievormend dier, verwant aan de zeeanemoon. Vormt bosjes op rotsen en zeewieren.

Kieuwen. 'Ademhalings'organen van waterdieren. Vissen hebben aan weerszijden van de keel kieuwen die aan benen bogen hangen (de kieuwbogen).

Kieuwspleet. Opening achter de kop van een vis; verbindt de keel met buiten.

Kiel. Verticale kam.

Mantel. Bij weekdieren – een huidplooi die het lichaam bedekt en de schelp afscheidt. Bekleedt de schelp van tweekleppigen.

Parasiet. Organisme dat op of in een ander organisme (de gastheer) leeft en zich ermee voedt, meestal zonder de gastheer te doden.

Pelagisch. Een dier dat in open zee leeft (en dus niet op de bodem).

Plankton. Zeer kleine diertjes en plantjes die met de zeestromingen meedrijven.

Sifon. Een buis die een waterstroom richting geeft.

Spuitgat. De eerste kieuwspleet bij haaien en roggen (meestal kleiner dan de andere spleten).

Uit de kust Niet onmiddellijk aan de kust, maar wel tot de kustwateren behorend.

Zeegras. Een grassoort die in zeegrasvelden groeit op fijn zand of modder van het laag-eulitoraal tot een diepte van 4 m.

Geïllustreerd glossarium

Kreeftachtigen

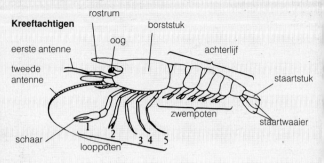

- rostrum
- oog
- borststuk
- eerste antenne
- tweede antenne
- achterlijf
- staartstuk
- zwempoten
- staartwaaier
- schaar
- looppoten
- 1 2 3 4 5

Zeesterren

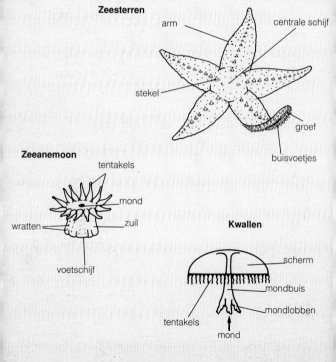

- arm
- centrale schijf
- stekel
- groef
- buisvoetjes

Zeeanemoon

- tentakels
- mond
- wratten
- zuil
- voetschijf

Kwallen

- scherm
- mondbuis
- mondlobben
- tentakels
- mond

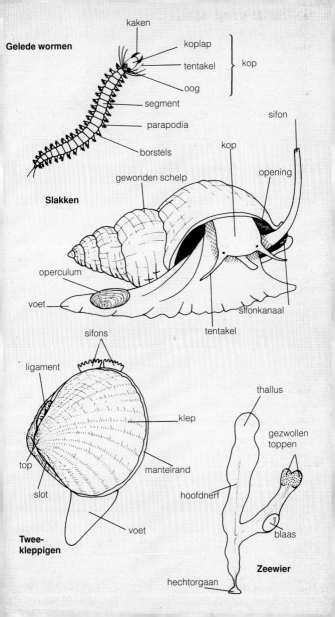

Gelede wormen

kaken

koplap

tentakel

oog

kop

segment

parapodia

borstels

sifon

kop

opening

Slakken

gewonden schelp

operculum

voet

tentakel

sifonkanaal

sifons

ligament

thallus

klep

gezwollen toppen

top

mantelrand

slot

hoofdnerf

voet

blaas

Twee-kleppigen

Zeewier

hechtorgaan